D1208295

Jens Johler

DER FALSCHE

Jens Johler

DER FALSCHE

Roman

Für
Gesa Dr. Valk
mit herzlichen Grüßen
von
Jens Johler
26.8.94

Luchterhand Literaturverlag

Lektorat: Klaus Siblewski

Umschlaggestaltung Parsons Design, München
Umschlagmotive: Die Vorderseite verwendet eine
Fotografie von Stock Imagery/Bavaria, die Rückseite
eine Fotografie vom Ullstein Bilderdienst.
Herstellung Ina Munzinger, Berlin
Satz aus der Sabon von Dörlemann-Satz, Lemförde
Druck und Bindung durch Clausen & Bosse, Leck
Druck Schutzumschlag von Walter Biering GmbH, München
Gedruckt auf chlor- und säurefreiem Papier.

ISBN 3-630-86837-1

DER FALSCHE

Für Stephan Opitz und Joachim Kersten

WOZU DAS GANZE THEATER?

Die Geschichte meiner Trennung von Antonia begann damit, daß ich sie kennenlernte.

Antonia wurde als Schauspielerin an das Theater engagiert, an dem ich bereits seit einer Spielzeit tätig war, und sie gefiel mir auf Anhieb, als ich sie das erstemal bei einer Probe sah. Sie hatte ein hübsches, etwas puppenhaftes Gesicht mit leicht hervorquellenden Augen, dunkelblonde Haare, schmale Hüften, einen ansehnlichen Busen und lange, wohlgeformte Beine. Vor allem aber war es ihre Stimme, die mich beeindruckte; sie hatte etwas Sprödes und Brüchiges und rief in mir eine mit leichtem Ärger verbundene Sehnsucht hervor.

Meine erste Berührung mit Antonia fand auf der Probebühne im vierten Stock des sogenannten Großen Hauses statt, das sich vom Kleinen Schauspielhaus dadurch unterschied, daß in ihm nicht nur Inszenierungen des Schauspiels gegeben wurden, sondern auch und vor allem solche der Oper mit Chor und Ballet.

Vom Chor weiß ich nur noch, daß zu seinen Mitgliedern der Bruder eines weltberühmten Sängers gehörte und diesem sogar ungeheuer ähnlich sah, so daß ich jedesmal, wenn ich in der Kantine oder spätabends in unserer Theaterkneipe, dem *Raben*, dieses Mannes ansichtig wurde, innerlich vor Schreck erstarrte, weil ich es nicht fassen konnte, daß er einfach so dasaß, sein Bier trank, seine Kümmelkäsestange aß und nicht vor Scham und Neid und Zorn und Rebellion dagegen, daß Gott die Gaben zwischen ihm und seinem Bruder so himmelschreiend ungerecht verteilt hatte, aus der Haut fuhr und zu

rohem Fleisch wurde wie eine der Personen, die Francis Bacon gemalt hat.
Das Ballet gefiel mir weniger durch seinen Tanz als durch seine Tänzerinnen. Schon an meinem ersten Abend in dieser Stadt saß ich im *Raben* neben Liz Brighton, einer Engländerin mit rötlichen Haaren und immer leicht offenstehendem Mund, in die ich mich sofort verliebte. Leider kam es mit ihr gelegentlich zu sprachlichen Mißverständnissen. So wollte ich ihr einmal ein Kompliment machen, indem ich scherzhaft zu ihr sagte: »You are a witch« und war aufs höchste verwirrt, als sie abrupt die Party, auf der wir uns befanden, verließ und sich erst draußen auf der Straße schluchzend dazu bewegen ließ, mir zu erklären, daß sie »You are a bitch« verstanden habe. Ich hatte aber gar nicht gewußt, daß es dieses Wort gab und noch viel weniger, was es bedeutete.
Die erste Berührung mit Antonia kam, wie gesagt, auf der Probebühne zustande, und zwar im Rahmen eines Spiels, an dem ich mich nur beteiligte, um diese Berührung zu erreichen. Antonia hatte in Hamburg die Schauspielschule besucht, und mit ihr war von dort ein junger Kollege an unser Theater gekommen, den wir *Lenz* nannten, weil er den Vornamen Siegfried trug. Dieser Lenz fand es hin und wieder komisch, während einer Probenpause hinter Antonia oder eine andere Kollegin zu treten, ihr die Augen zuzuhalten und mit verstellter Stimme zu fragen: »Wer bin ich?« Da er ein guter Stimmenimitator war, gelang es ihm gelegentlich, Antonia zu narren und ihr Namen wie *Schwarzmantel, Moerst* oder *Riedel* zu entlocken, also die Namen anderer Kollegen. Einmal übernahm ich den Part von Lenz und hielt Antonia die Augen zu, vergaß aber vor lauter Aufregung darüber, daß ich es gewagt hatte, sie zu berühren, meinen

Text, so daß sie für mich einsprang und fragte: »Wer ist das?« – woraufhin ich antwortete: »Der Falsche.« Es war, wie ich später von ihr erfuhr, auch für sie sofort klar, daß ich damit gemeint hatte, ich sei der Richtige für sie. Weder sie noch ich kamen auf den Gedanken, daß jemand, der sich in einer so verkehrten Form als der Richtige anpreist, vielleicht doch der Falsche sei.

Antonia hatte damals einen Freund oder Liebhaber, der ebenfalls Schauspieler war und in einer benachbarten Stadt auftrat. Unter diesem Liebhaber hatte sie, wie sie mir auf unseren Spaziergängen im Stadtpark berichtete, sehr zu leiden, obwohl oder gerade weil es eine unbeschreibliche Wonne sei, mit ihm zu schlafen. Kräftig wie ein Stier, lebendig wie ein junges Fohlen, leicht wie eine Feder sei er im Bett, was möglicherweise daher rühre, daß er einmal Landesjugendmeister oder Jugendlandesmeister im Geräteturnen gewesen sei. Noch immer bringe er es locker auf zwanzig Liegestützen *mit einem Arm.* Seine Küsse aber seien wie ein orientalischer Hauch. Ja, wirklich, er habe etwas Prinzliches und Zauberhaftes an sich, dem sie sich nicht entziehen könne, aber er sei ihr nicht treu. Er betrüge sie. Oder – das sei jetzt eine Frage an mich *als Mann* – wie sie sich folgendes zu erklären habe: Wenn er sie am Nachmittag, zwischen Probe und Abendvorstellung, besuchen komme, dann wehre er sich jedesmal auf das Entschiedenste dagegen, mit ihr zu schlafen. Sie umgarne und becirce ihn, so gut sie könne, sie bitte, bettle, flehe und erniedrige sich, er aber bleibe hart, beziehungsweise weigere sich, es zu werden, je nachdem. Das könne doch nur daran liegen, daß er eine andere habe! Daß er vorher bei der anderen gewesen sei oder hinterher noch zu ihr gehen wolle. Er aber behaupte, es wäre seiner Schauspielkunst abträglich, wenn er

sich und seinen Samen so kurz noch vor der Abendvorstellung verschwende; und die Kunst sei ihm nun mal das Wichtigste.
»Ist das wirklich so?« fragte Antonia.
»Daß die Kunst das Wichtigste ist?«
»Daß ein Mann seinen Samen aufsparen muß, damit er gut auf der Bühne ist?«
Ich hatte mir darüber noch nie Gedanken gemacht, vermutete jedoch, daß die Samenbeibehaltungstheorie ihres Freundes mehr in die Sphäre des Geräteturnens gehörte, als in die der Schauspielkunst, wenn sie denn überhaupt irgendwohin gehörte. Es war mir aber im Grunde meines Herzens höchst zuwider, mir die Sorgen anhören zu müssen, die Antonias Liebhaber mit der Vergeudung beziehungsweise Aufsparung seines Samens hatte, oder die Sorgen, die sie damit hatte. Ich hörte es mir an und hoffte insgeheim, ihr Liebhaber werde bei der nächsten Übung am Hochreck abstürzen und sich das Genick brechen.
Die Rolle, die ich Antonia gegenüber spielte, war die des *guten Freundes.* Jan-Peter Gruhl, so hieß der Turner, war grausam, schön und gut im Bett, ein ins Heterosexuelle gewendeter Dorian Gray sozusagen, ich dagegen war verständnisvoll, verläßlich, ein guter Zuhörer und ein netter Kollege. Antonia nannte mich *Dickie.* Ich weiß nicht, wie sie darauf kam. Ich war nicht dick. Ich hatte nur nichts übertrieben Sportliches an mir. Gelegentlich spielte ich mit Lenz Minigolf, aber Lenz war besser. Er flipperte auch besser. Das Jahr, bevor Antonia an unser Theater kam, standen wir fast jeden Nachmittag in der Flipperhalle. Lenz holte gewöhnlich ein Freispiel nach dem anderen, so daß wir, wenn wir einmal angefangen hatten, nicht mehr aufhören konnten. Aber als

Antonia auftauchte, ebbte meine Flipperleidenschaft ziemlich bald ab.
Antonia hatte überhaupt nichts Sportliches. Sie konnte nicht mal einen Ball fangen. Wenn einer auf sie zugeflogen kam, geriet sie so in Panik, daß sie mit ihren Händen Abwehrbewegungen machte, anstatt sie ruhig zu halten und den Ball einfach anzunehmen. »Du mußt ihn annehmen«, sagte ich zu ihr, als wir später auf der Probebühne im vierten Stock des Großen Hauses unser *Training* begannen, »einfach annehmen, das ist alles.« Wir kamen bei solchen Gelegenheiten dann immer ins Philosophieren und begeisterten uns über so tiefsinnige Gedanken wie den, daß das Einfache immer das Schwerste und das Annehmen leichter gesagt als getan sei; es stelle nämlich eine dauernde Lebensaufgabe dar. Man müsse nicht nur den Ball, sondern auch sich selbst annehmen, sich selbst und seine Umwelt, die Menschen und die Dinge, beides gehöre irgendwie zusammen, man müsse sein Schicksal annehmen, seine Eltern, seine Geschwister, die Zeit, in der man lebe, ja auch sein Volk und dessen Geschichte, man müsse sogar *dazu stehen*, ohne freilich etwas rechtfertigen oder entschuldigen zu wollen und so weiter, das heißt, wir kamen von Hölzken auf Stöcksken und dann wieder zurück zum Einfachen, das das Schwerste sei, dem Fangen und Annehmen des Balles, und übten weiter. Das war tatsächlich spannender als Flippern, obwohl man sich dabei natürlich auch hätte fragen können, ob wer die Kugel entwischen läßt, nicht auch in anderen Lebenslagen die nötige Geistesgegenwart vermissen lasse, aber Lenz und ich hatten immer einfach nur geflippert und es versäumt, darüber philosophische Betrachtungen anzustellen.
Möglicherweise war ich es auch selbst, der Antonia darauf

gebracht hatte, mich *Dickie* zu nennen. In meiner Kindheit hatte man mich *Dickus der Boxer* genannt, ein Ehrentitel insofern, als er einen gewissen Respekt vor meinen Fäusten verriet. Aber schon damals fand ich es ungerecht oder zumindest unverhältnismäßig, daß man mich, der allenfalls eine gewisse Stämmigkeit aufwies, als dick bezeichnete, obwohl es Kinder von ganz anderem Kaliber gab, die man damit verschonte. Vielleicht war es so, daß die anderen *sowieso* dick waren, so offenkundig und ins Auge springend, daß niemand es für nötig hielt, mit Worten darauf hinzuweisen, während man bei mir noch ein bißchen im Zweifel war und die Worte brauchte, um ganz sicher zu sein. Ich glaube, so etwas dachte ich sogar damals schon, aber es war trotzdem nicht besonders angenehm *Dickwanst* oder *Fettfleck* genannt zu werden, während ein anderer danebenstand, seine Wurststulle aß und wirklich ein Fettfleck war. Das hatte ich Antonia erzählt, und sie hatte dann wahrscheinlich aus *Dickus der Boxer Dickie* gemacht. So ist es ja immer: Man vertraut jemandem etwas an, um sich von einer schweren Seelenlast zu befreien, und kriegt die Last sofort noch einmal aufgebürdet.
Anders als der immerhin respekteinflößende Titel *Dickus der Boxer*, hatte der Name *Dickie* etwas unausrottbar Harmloses, Teddybärartiges, Gemütliches. *Dickie* war der ideale Name für den *Guten Freund*. Einen ins Heterosexuelle verkehrten Dorian Gray würde man nicht *Dickie* nennen. Nein, Dickie hatte keine Chance, jemals Objekt einer *amour fou* zu werden, er mochte sich noch so sehr danach sehnen, es half alles nichts. Dickie konnte sogar versuchen, sich in die Position eines *homme fatal* hineinzuspielen, indem er einen geheimnisvollen Gesichtsausdruck aufsetzte oder sich rar machte und tagelang nicht zu erreichen war. Aber wenn er nach

dieser Selbstquälerei wieder auftauchte, dann rief Antonia nur »Hallo, Dickie, da bist du ja wieder«, und zu seinem geheimnisvollen Gesichtsausdruck sagte sie: »Was machst du denn für ein Gesicht, das sieht doch albern aus.«
Dickies Vorteil war nur, daß er da war, während Jan-Peter Gruhl sich rar machte und mit seinem Samen geizte. Ich ging mit Antonia spazieren, hörte ihr zu und verehrte sie. Ich *inspirierte* sie auch, wie sie immer wieder betonte, das heißt, in meiner Gegenwart fielen ihr lauter Sachen ein, von denen ich gewünscht hätte, daß sie mir eingefallen wären. Und weil ich spürte, daß ich keine Chance hatte, Jan-Peter Gruhl auszustechen, litt ich wie ein Idiot unter Liebessehnsucht. Im August kam Antonia an unser Theater, im Dezember faselte ich bereits von *Selbstmord* und *mich aufhängen* und legte dafür sogar den Termin fest: meinen Geburtstag. Wenn Antonia mich bis Anfang Januar nicht erhörte, würde ich mich umbringen, sagte ich. Aber anstatt mich auszulachen oder mir zu befehlen, mit diesem erpresserischen Getue aufzuhören, schaute Antonia mich nur mit jenem wehmütig leuchtenden oder leuchtend wehmütigen Blick an, den ich an ihr so liebte, und sagte nichts dazu, so daß ich mich in meiner Selbstmordtheatralik auch noch bestätigt fühlte.
Ich hatte nur eine Hoffnung: daß ich die Chance bekäme, mit ihr zu arbeiten. Wenn ich sie erst mal auf der Probebühne habe, dachte ich, dann kriege ich sie rum. Ich hatte Erfahrung mit dieser Methode. In München, auf der Schauspielschule, war es mir gelungen, auf diese Weise Judith K. zu gewinnen, warum also jetzt nicht auch Antonia? Ich wußte, daß ich Kollegen, die eine Rolle einstudierten, etwas beibringen konnte. Ich war ein guter Berater, Kritiker, Lehrer oder Coach in diesen Dingen. Ich hatte ein Auge und ein Ohr

dafür, ob etwas *stimmte* oder nicht, und konnte sagen, woran es lag, wenn es nicht stimmte. Und wenn jemand etwas gut kann und die Gelegenheit bekommt, das zu zeigen, dann entfaltet er dabei eine gewisse Macht oder einen Zauber und wird dadurch womöglich sogar *schön.* Aber ich konnte ja nicht zu Antonia hingehen und sagen: »Hör zu, ich will dich rumkriegen, aber dazu mußt du mit mir auf die Probebühne gehen und arbeiten, damit ich dort meine Macht und meinen Zauber entfalten kann und womöglich sogar schön werde.« Nein, das ging nicht. Bei Judith hatte ich Glück gehabt, sie hatte bei der ersten Zwischenprüfung versagt und war nur mit der Auflage, in drei Monaten eine Nachprüfung zu machen, dabehalten worden, so daß sie etwas angeschlagen und in Panik war. Sie nahm mein Angebot, ihr beim Rollenstudium zu helfen, dankbar an. Als sich ihre Panik gelegt hatte, fuhren wir zusammen von München nach Iffeldorf, wo wir bei einer Frau Zistler ein Zimmer mieteten. Ich war damals achtzehn, Judith einundzwanzig, und im Gästezimmer der Frau Zistler zeigte sie mir, was sie hatte und was sie konnte und wie alles ging. Das war ein großes Glück, auch wenn ich beim Anblick ihres weißen, von bläulich schimmernden Äderchen durchzogenen Busens zunächst erschrak, weil ich einen so großen Busen bis dahin noch niemals in natura gesehen hatte, nur in Pornofilmen auf der Reeperbahn. Und nun sollte ich ihn sogar in die Hand nehmen und küssen dürfen? Und alles andere auch?
Nach ein paar Jahren wurden Judith und ich durch das Theaterleben getrennt. Sie kam in die eine Stadt, ich in eine andere, dreihundert Kilometer entfernt, und die ewige Hin- und Herfahrerei war schwer auszuhalten, ganz abgesehen davon, daß wir nur selten wegkonnten, weil wir fast immer Proben hatten

oder Vorstellung oder beides. Und wenn einem dann noch eine Liz Brighton über den Weg lief oder Antonia –
Wie würde es mir gelingen, sie auf die Probebühne zu locken? Das war die Frage. Die Antwort lautete: gar nicht. Sie mußte von sich aus darauf kommen.
Nun gut, ich half ein bißchen nach, aber nicht viel. Ich bestätigte nur die Zweifel an ihren schauspielerischen Fähigkeiten, die sie selbst hegte und die nicht zuletzt Jan-Peter Gruhl gesät hatte, wofür ich ihm natürlich dankbar war. Aber während er ihre *Begabung* und damit ihre Eignung für unseren Beruf grundsätzlich in Frage stellte, schob ich sämtliche Mängel auf ihre Ausbildung und beteuerte immer wieder, durch ein regelmäßiges Training würde alles besser werden. Daran glaubte ich natürlich auch. Zugleich betonte ich meine eigene Hilfsbedürftigkeit, damit Antonia nicht dachte, ich hielte mich für begabter als sie. Ich hatte auch tatsächlich allerlei *Macken*, wie sie mir sehr schön anhand einiger Szenenphotos nachweisen konnte. Ich hatte ein Hohlkreuz, einen Haltungsbauch streckte beim Sprechen den Kopf zu weit vor und hielt die Arme verkrampft angewinkelt. Das alles nicht bewußt, nicht zur Charakterisierung einer bestimmten Figur, zu welcher Hohlkreuz, Haltungsbauch und angewinkelte Arme gut gepaßt hätten, sondern in jeder Rolle, ob Kaiser, König oder Bettelmann. Das mußte ich ändern, und wenn Antonia mir dabei helfen würde, wäre ich nur froh, vor allem, weil sie dann nicht umhin könnte, sich auch von mir helfen zu lassen und dann – bingo!
Was bei mir die Körperhaltung war, das war bei Antonia die Stimme. Ich sagte schon, daß sie etwas Sprödes und Brüchiges hatte, und daß ich dieses eigenartige Timbre besonders liebte. Insofern gab es keinen Grund dafür, sie zu verändern.

Man soll das, was man liebt, ja eigentlich so lassen, wie es ist, damit man sich nicht selbst beraubt. Antonias Stimme aber, mochte ich sie nun lieben oder nicht, *trug* nicht richtig, nicht genug. Für die Aufführungen im Kleinen Haus reichte sie so einigermaßen, und wenn nicht gerade eine Vorstellung für Schwerhörige angesetzt war, konnte man sie sogar in der letzten Reihe halbwegs verstehen. Aber im Großen Haus war das anders. Letztlich war es das Große Haus, das mich rettete. Kurz vor meinem Geburtstag, an dem ich, um mein Gesicht zu wahren, zumindest einen Selbstmord*versuch* hätte machen müssen, und wer weiß schon vorher ganz genau, ob er nicht aus Versehen *glückt* –, kurz vor diesem drohend herannahenden Tag begann Antonia mit den Proben für ein Stück, das im Großen Haus gespielt werden sollte. Die Figur, die sie verkörperte, hieß Iole und war eine Königstochter oder eine Hure oder eine verhurte Königstocher, irgend so etwas. Antonia lag auf einem Diwan oder Kanapee und hatte einen Dialog mit Rupert Melchior, einem Schauspieler, den wir beide sehr gern mochten. Aber so sehr man auch im Zuschauerraum Ruhe bewahrte und die Ohren spitzte, man verstand nichts. Ihn ja, sie nicht. Vielleicht noch in den vordersten Reihen, aber ab der zehnten oder elften *sah* man nur noch, wie sie sich dort oben auf dem Kanapee herumräkelte und die Lippen bewegte. Aber man hörte nichts. Keinen Ton. Es war eine Katastrophe! Der Regisseur war verzweifelt, Antonia am Boden zerstört, und ich rieb mir die Hände. Jetzt habe ich sie, dachte ich.

Es war nun allerdings nicht so, daß wir jetzt einfach auf die Probebühne gegangen wären und angefangen hätten zu arbeiten. Nein, bevor wir das taten, machten wir etwas, das wir als *Autodafé* bezeichneten. Wir beide, Antonia ebenso

wie ich, liebäugelten damals mit der Schriftstellerei. Ich schrieb Tagebuch und bastelte an einem Theaterstück, Antonia hatte einen halbfertigen Roman in der Schublade, dessen Held eine gewisse Ähnlichkeit mit Jan-Peter Gruhl aufwies. Meine These war nun, daß unsere Koketterie mit der Schriftstellerei uns davon abhalte, unsere ganze Kraft der Schauspielkunst zu widmen. »Wir können nicht zugleich Kalliope und Thalia dienen«, sagte ich, »wir müssen uns ganz der einen oder der anderen verschreiben, sonst zürnen uns alle beide und verweigern uns den Kuß.« Ich muß diese Ansicht, die natürlich durch nichts belegt war, mit so vielen guten oder wenigstens gut klingenden Argumenten vorgetragen haben, daß wir das Opfer dann tatsächlich brachten. Das Wort *Autodafé*, das ich bei dieser Gelegenheit von Antonia lernte, klingt pathetisch und fast feierlich. In Wirklichkeit war es ein ziemlich profaner Akt. Ich zerriß mein Tagebuch und das angefangene Theaterstück, Antonia ihren halbfertigen Roman, und die Schnipsel landeten in der Mülltonne. Danach gingen wir auf die Probebühne und begannen mit unserem Training.
Ich machte mit Antonia Sprechübungen, sie mit mir Körperübungen. So etwas verbindet natürlich, es ist eine *erotische* Arbeit, wie Theaterleute zu betonen nicht müde werden, aber ist Erotik gleich Sex? Und ist es nötig, eine verhalten-erotische Beziehung in ein handfest-sexuelles Verhältnis umzuwandeln? Damals glaubte ich das. Ich dachte, ich liebe Antonia, ich arbeite mit ihr, jetzt muß ich auch mit ihr schlafen. Hatte ich Lust dazu? Ich wußte es nicht. Gewisse Indizien sprachen dagegen. Antonia lag auf dem Teppichboden in ihrem Zimmer, räkelte sich wie Iole auf dem Kanapee, und ich dachte, jetzt mußt du irgend etwas machen, sonst bist du kein rich-

tiger Mann, zieh ihr am besten erst mal die dunkelblaue Strumpfhose aus. Ich zog ihr die dunkelblaue Strumpfhose aus und empfand dabei – nichts. Hinterher versuchte ich mich vor mir selbst damit zu rechtfertigen, daß es nicht hatte klappen können, weil ich nur der Lückenbüßer für Jan-Peter Gruhl gewesen wäre und immer hätte denken müssen, Feder, Fohlen, Stier, eigentlich schläft sie lieber mit ihm. Aber warum hatte sie sich dann so auf dem Teppichboden geräkelt? Weil der andere gerade wieder seinen Samen aufsparte, und sie nicht warten wollte, bis er das nächste Mal spielfrei hatte? Das hätte mich doch nicht hindern müssen, sie kräftig durchzubumsen. Liebte ich sie denn nicht? Ich dachte zu meiner Rechtfertigung aber auch, daß ich sie vielleicht *zu sehr* liebte und aus übergroßer Liebe nicht imstande sei, mit ihr zu schlafen. Übermaß an Gefühl, Mangel an Unbefangenheit – so. Oder daß ich zu lange von ihr zurückgewiesen worden wäre, so daß nun irgend etwas in mir einmal sie zurückweisen wollte. Oder daß all diese Gründe in meiner Seele zusammenspielten und mich daran hinderten, die gewünschte Erektion zu bekommen. Nur ein Gedanke kam mir nicht: daß ich vielleicht gar keine Lust hatte, mit ihr zu schlafen.

Als ich gerade wieder einmal nach einem kläglichen Versagen Antonias Haus verließ, kam mir Jan-Peter Gruhl entgegen. Ich grüßte ihn höflich und dachte nicht ohne Neid, jetzt macht er das, was mir gerade mißlungen ist. Er stürzte grußlos an mir vorbei, sprang die Treppen hinauf, ließ sich von Antonia die Tür öffnen und – verprügelte sie. Wunderbar! Etwas Besseres hätte er nicht tun können! Sie hatte alles Mögliche ertragen, seine Kritik, seine Samenaufsparerei, alles – aber das war zuviel. Jetzt hatte sie Angst vor ihm, und ich schürte diese Angst, so gut ich konnte. Was, wenn er mich noch einmal von ihr weggehen sah und sie erneut verprügelte? Vielleicht vergaß er sich dann völlig und schlug sie tot? Oder zum Krüppel! Oder er kam mit Salzsäure herbei und verätzte ihr das Gesicht. Oder mit Rasierklingen. Wollte sie es darauf ankommen lassen?

Ich riet ihr, eine Weile zu mir zu ziehen. Ich hatte eine kleine Wohnung, eine Mansarde, und war keinem Wirt und keiner Wirtin Rechenschaft schuldig. Wenn wir das grüne Feldbett mitnahmen, das Antonia als Gästebett in ihrem Zimmer hatte, dann würde es doch gehen. Oder?

Antonia packte einen Koffer und das Feldbett, quartierte sich bei mir ein und – jetzt aber wirklich – bingo.

Nun begann eine Zeit des Glücks, deswegen ist darüber nicht viel zu berichten. Antonia und ich lebten und arbeiteten zusammen, wir gingen morgens zur Probe, nachmittags zum Training, standen abends auf der Bühne und gingen hinterher noch in die Spätvorstellung des Bahnhofkinos, in dem die alten Western mit Randolph Scott und John Wayne liefen. Es war wunderbar, ins Kino zu gehen und dabei zu denken, daß es nicht nur Vergnügen, sondern *auch Arbeit* wäre, weil wir dabei die Kunst unserer Kollegen aus Hollywood studierten. Das machte es zu einem noch größeren Vergnügen. Zu Hause aßen wir palettenweise Joghurt der Firma *jo-frutti*, besonders Erdbeer, Blaubeer und Ananas, eine Empfehlung unserer Gymnastiklehrerin Frau Hoffmann. Auch das war ein Vergnügen.

Unser Glück wurde nur dadurch getrübt, daß unsere Kollegen das Training, das wir täglich in der Zeit zwischen Probe und Abendvorstellung miteinander machten, zu mißbilligen schienen. Sie tuschelten hinter unserem Rücken, das war deutlich zu spüren und wurde uns auch von jüngeren Kollegen, die gelegentlich an unserem Training teilnahmen, berichtet. Das Motiv für diese Kollegenmißgunst war mir zunächst ein Rätsel. Neid? Worauf? Darauf, daß wir auf der Bühne nun ein bißchen besser wurden? Ach! Oder darauf, daß wir den Hals nicht vollkriegen konnten von der Arbeit, die uns am Ende gar noch Spaß machte? Ja, das war es offenbar: Die scheelen Blicke entsprangen der gewerkschaftlichen Haltung der Herren Subventionstheaterdarsteller (es waren wirklich nur die Männer, die Frauen hielten sich da heraus), die es nicht leiden konnten, daß wir arbeiteten, während sie ihre schwer erkämpfte Ruhezeit genossen. Ich behaupte das nicht nur, ich habe für diese These sogar eine Art Beleg. Aber dafür muß ich unseren Pförtner erwähnen, Herrn Meister.

Herr Meister war auf den ersten Blick ganz sympathisch, nur etwas beschränkt. Er war so um die fünfzig, hatte graue Haare, einen Bürstenschnitt und sorgenvolle Falten im Gesicht. Das Leben hatte ihn mitgenommen, und Herr Meister ließ zum Zeichen dafür, daß es so war, die Schultern hängen. Meistens saß er in der Pförtnerloge des *Kleinen Hauses*, einem Raum von, großzügig geschätzt, vier Quadratmetern, und paßte auf, daß kein Unbefugter das Theater betrat. Man weiß, seit Zerberus' Zeiten, wie wichtig Pförtner sind. Alle Berufe, die mit P anfangen, sind wichtig: Politiker, Putzfrauen, Postbeamte, Pfarrer, Piloten, Professoren, Poeten und, wie gesagt, Pförtner. In Herrn Meisters Pförtnerloge (diesem winzigen Kabuff) befand sich das einzige Telefon, das den Schauspielern, Regisseuren, Inspizienten, Beleuchtern, Garderobieren, Maskenbildnern und allen anderen zur Verfügung stand. Wenn man telefonieren mußte, ging man zu Herrn Meister und bat ihn, sein wichtiges Privatgespräch mal eben zu beenden, damit der Apparat frei würde. Genau das tat ich, als ich mit Judith K. telefonieren wollte (das war natürlich, bevor Antonia an unser Theater kam). Ich hatte einen etwas wirren Brief von ihr bekommen und glaubte, sie mit Argumenten des Herzens und der Vernunft davon überzeugen zu müssen, daß sie die *große Liebe*, also mich, nicht für irgendeinen dahergelaufenen und wieder davonziehenden Regisseur aufs Spiel setzen dürfe, selbst wenn dieser kein Geringerer war als der schon damals hochberühmte Lars Hermann, *der Lars*, wie Judith ihn in ihrem Brief genannt hatte.

Das Wunder, das zunächst geschah, war, daß Herr Meister mich telefonieren ließ. Ich rief Judith an, und während ich alle meine Seelen- und Verstandeskräfte mobilisierte, um Judith von Lars Hermann abzubringen, ohne mich dabei allzusehr vor Herrn Meister zu entblößen, der natürlich gespannt mithörte, obwohl er so tat, als ob ihn das alles nichts anginge, machte ich den nicht wiedergutzumachenden Fehler, mich auf seinen Stuhl zu setzen. Das ging zu weit. Da hieß es einschreiten! Jeder Pförtner wird das verstehen. »Jetzt aber Schluß«, sagte Herr Meister. »Das Telefon wird gebraucht.« Wofür war unklar. Ich hörte aber sowieso kaum, was er sagte, ich hatte Wichtigeres im Sinn, es ging hier um Lars Hermann oder mich. »Du kannst doch die vergangenen vier Jahre nicht einfach so wegwerfen«, sagte ich.

»Tu' ich doch gar nicht. Ich will nur mit *dem Lars* nach Venedig fahren, das hat auch was mit unserem nächsten Stück zu tun.«

»Schluß jetzt«, sagte Herr Meister.

»*Auch was* mit dem nächsten Stück«, sagte ich, »*auch was*! Das heißt doch, daß du auch mit ihm ins Bett gehen willst!«

»Mit wem?« sagte Herr Meister.

»Halten Sie doch mal den Mund«, sagte ich.
»Als ob gerade du mir vier Jahre lang treu gewesen wärst«, sagte Judith.
»Jetzt reißt mir aber langsam die Geduld«, sagte Herr Meister.
»Schnauze«, sagte ich.
»Wie bitte?« sagte Judith.
»Nein, nicht du.«
»Und was war mit der Engländerin? Liz Brisbane?«
»Brighton«, sagte ich, »sie hieß Liz Brighton. Und außerdem ist sie längst wieder in England.«
»Diese Tänzerin?« sagte Herr Meister. »Ich dachte, die wäre Kanadierin.«
»Der Lars geht ja auch wieder zurück nach Wien«, sagte Judith.
»Okay«, sagte ich, »ich geb ja zu, ich hab mit Liz einen Fehler gemacht. Aber kannst du denn nicht aus meinen Fehlern lernen?«
»Noch dreißig Sekunden«, sagte Herr Meister. »Ich schaue auf den Sekundenzeiger!« Er schaute auf den Sekundenzeiger und bewegte leise die Lippen.
»Also nach Venedig fahre ich«, sagte Judith. »Und wenn du dich auf den Kopf stellst.«
»Hör zu, ich komme heute nacht zu dir. Dann reden wir darüber.«
»Nein«, sagte Judith, »das will ich nicht.«
»Ist mir egal«, sagte ich. »Gleich nach der Vorstellung fahre ich los.«
»Fünf, vier, drei, zwei, eins!« zählte Herr Meister.
»Nein«, sagte Judith, »das geht auf keinen Fall, weil –«
»Schluß! Aus! Ende!« schrie Herr Meister triumphierend und zog mir mit einem Ruck den Stuhl unterm Hintern weg.

Ich wankte, verlor das Gleichgewicht, mein rechter Arm ruderte in der Luft herum, suchte einen Halt und fand ihn schließlich im Gesicht des Pförtners. Herr Meister ging zu Boden.
Augenblicklich waren eine Menge Kolleginnen und Kollegen zur Stelle und bereit, das Opfer zu retten und den Täter dingfest zu machen. Aber wer war Opfer, wer Täter? Herr Meister hatte mir den Stuhl weggezogen, ich hatte das Gleichgewicht verloren und Halt gesucht. War ich deswegen ein Schläger? Nun, wie auch immer, jetzt wurde das Telefon gebraucht, jetzt aber wirklich, damit ein Krankenwagen alarmiert werden konnte. Am besten der Verletzte kam gleich auf die Intensivstation, sein Leben war vermutlich in Gefahr. Hatte er nicht sogar eine aufgeplatzte Lippe?
Herr Meister ließ sich für zwei Wochen krank schreiben und saß mir nach einer weiteren vor dem Friedensrichter gegenüber. Ja, vor dem Friedensrichter. So etwas gab es auch bei uns in der Provinz, nicht nur im Wilden Westen. Ich wurde dazu verurteilt, Herrn Meister die Hand zu geben, mich bei ihm zu entschuldigen und außerdem, was nicht ganz so schlimm war, einen bestimmten Betrag ans Rote Kreuz zu zahlen, hundert oder zweihundert Mark, irgend etwas in der Größenordnung (ein Anfänger am Theater kriegte damals fünfhundert Mark). Herr Meister kam sich wichtig vor wie nie in seinem Leben, und Lars Hermann hatte inzwischen leichtes Spiel mit Judith gehabt.

Antonia und ich mußten, wenn wir auf die Probebühne wollten, den Schlüssel dafür vom Pförtner erbitten. Eines Tages, es war Sonntag, saß Herr Meister in der Pförtnerloge. Wieso auf einmal hier im Großen Haus und nicht, wie sonst,

im Kleinen? Keine Ahnung. Aber natürlich nutzte er sofort seine Macht, die einzige, die ein Pförtner hat: Er weigerte sich, den Schlüssel herauszugeben. Kein noch so vernünftig oder geradezu liebevoll vorgetragenes Argument half. Heute sei Sonntag, sagte Herr Meister, und am Sonntag werde auf der Probebühne nicht gearbeitet.
»Ist es Ihre Sache, darüber zu entscheiden?«
»Ich entscheide darüber, ob Sie den Schlüssel kriegen oder nicht.«
»Dann seien Sie doch bitte so nett und entscheiden Sie sich dafür.«
»Ich denke nicht daran.«
»Können Sie denn nicht mal ein Auge zudrücken?«
»Ich? Niemals.«
Nun gut, der Pförtner war beschränkt und dumm, aber es gab ja zum Glück noch Vorgesetzte, denen er gehorchen mußte. Ich rief Herrn Axelroth, den Schauspieldirektor, an, aber es war überhaupt nicht die Rede davon, Herrn Meister in seine Schranken zu weisen. Kein Wort. Im Gegenteil. »Wieso arbeiten Sie am Sonntag?« fragte Herr Axelroth. »Das tun die anderen Kollegen doch auch nicht.« Ein klarer Punktsieg für Herrn Meister! Und ein Beispiel dafür, daß das kunstfeindliche, gewerkschaftliche Denken sich längst bis in die höchsten Ränge der Stadttheaterhierarchie hinaufgeschlichen hatte.
Solche und ähnliche Erfahrungen mit Pförtnern, Regisseuren, Kollegen und Direktoren – aber auch die wöchentliche Lektüre des *Spiegel*, der von Studentenunruhen, außerparlamentarischer Opposition und antiautoritärer Revolte berichtete – führten dazu, daß Antonia und ich über den *autoritären Geist* nachzudenken begannen, der an unseren Theatern herrschte,

über deren *feudalistische Strukturen* und die Notwendigkeit der *Demokratisierung*. Freilich auch über den berufsbedingten *Masochismus* der Schauspieler und ihre sklavische Unterwerfung unter – ebenfalls berufsbedingt – *sadistische* Regisseure. Nicht alle Regisseure seien sadistisch, behaupteten wir, aber die, die es nicht seien, wären in der Regel auch nicht gut. Denn wenn der Regisseur schon der Vorgesetzte des Schauspielers sei und somit *existentiell Macht über ihn verkörpere*, dann sei es nur konsequent, wenn er diese Macht gleich bis zur vollständigen Dressur des Schauspielers ausnutze, anstatt so zu tun, als könne man von gleich zu gleich miteinander reden und arbeiten. Man sei eben nicht gleich. Das liege am *System*, an den *Strukturen*, und es gebe nur einen Ausweg aus diesem Dilemma: Mitbestimmung der Schauspieler und kollektive Regie.
Diese Gedanken schrieben wir nieder und schickten das getippte Manuskript an eine Zeitschrift, die es auch abdruckte, und zwar in großer Aufmachung und an gebührender Stelle. Das war ja was! Wir hatten etwas geschrieben, und man nahm es ernst! Man setzte sich auch damit auseinander! Vielleicht wäre unser Name bald in aller Munde!
Er war auf jeden Fall im Munde unserer Kollegen, die wir mit unserer *Nestbeschmutzung* ein wenig unvorbereitet getroffen hatten. Sie steckten nun die Köpfe zusammen und tuschelten über uns. Wir sahen es, wenn wir zur Probe kamen oder uns in die Kantine wagten. Aber, von zwei oder drei jüngeren Kollegen abgesehen, sprach uns niemand offen auf den Artikel an. Sie waren böse auf uns, sie sahen uns als Verräter. Und was hatte ich auch erwartet? Daß sie »ja« sagten, »ja, ihr habt recht! Kriecher sind wir und Masochisten und obendrein noch schlechte Schauspieler, Knattermimen –, aber jetzt, wo

ihr uns das so glänzend formuliert *bewußt gemacht* habt, jetzt werden wir uns ändern! Kommt, laßt uns Mitbestimmung einführen und kollektive Regie erkämpfen, heute noch!« Ja, ich glaube, das hatte ich erwartet. Ich war nicht nur erstaunt und verwundert, sondern beleidigt, daß sie das nicht taten. Sie wollten nichts mehr von uns wissen. Dafür bekamen wir jetzt allerlei Aufforderungen ins Haus geschickt, Solidaritätserklärungen zu unterschreiben und natürlich auch zu spenden und zu unterstützen.

Im Juni, kurz vor Beginn der Theaterferien, hatte ich ein Gespräch mit Herrn Lafrenz, einem bulligen, brutal-jovialen Menschen, der von der Bühnengenossenschaft, also auch von uns, bezahlt wurde und damals der mächtigste Theateragent im Lande war. Er empfahl mir unumwunden, meinen Namen zu ändern, »denn *mit dem Namen* kann ich sie natürlich nicht mehr vermitteln«. Diese und ähnliche Erfahrungen lockerten nicht nur unsere Bindung an den Theater*betrieb*, sondern an den Schauspielerberuf schlechthin. War Kunst nicht ohnehin *elitär*? Mußte man nicht die Trennung zwischen Künstler und Publikum aufheben? War nicht jeder Mensch ein Künstler, nicht nur wir, sondern auch der Bühnenarbeiter, der Requisiteur, die Putzfrau und der Pförtner, also auch Herr Meister? Und mußten wir nicht unser *privilegiertes Talent* in den Dienst der einfachen Leute stellen, der Arbeiter, Angestellten, Hausfrauen und so weiter, damit auch sie ihre schöpferischen Kräfte entfalten konnten, und wenn nicht sie, weil es für sie vielleicht bereits zu spät war, dann doch ihre Kinder?

Aus der Frontstadt Berlin – es war inzwischen 1968 – schrieb Gerhard Krepp, den Antonia von der Schauspielschule her kannte, flammende Briefe: Wir würden noch die Revolution verpassen, wenn wir nicht alle Brücken hinter uns abbrächen

und sofort kämen! Kommt! rief er brieflich aus, die Revolution braucht jeden Mann und jede Frau. Wer hier jetzt nicht dabeigewesen ist, der hat an seiner Zeit vorbeigelebt!
Es war allerdings auch so, daß unsere Verträge nicht verlängert wurden, weil ein neuer Intendant an das Theater kommen und seine eigene Mannschaft mitbringen würde. Und ein anderes Engagement war nicht in Sicht. Oder, um die Wahrheit zu sagen: Ich war es, der kein Engagement hatte, Antonia hatte eins oder hätte eins haben können, und beinahe hätten wir es sogar geschafft, zusammen an das Theater zu kommen, aber . . .
Es war in Bamberg. Oder Regensburg. Der Name des Theaterleiters ist mir entfallen. Antonia hatte sich beworben und, was immer schon eine gute Sache war, ein sogenanntes *Vorsprechen* bekommen. Sie fuhr hin, ich fuhr mit. Wir wollten nur gemeinsam an ein Theater gehen, um unser Training und natürlich auch unsere Liebe nicht aufs Spiel zu setzen. Meine Erfahrung mit Judith K. hatte mir gereicht: Läßt man die große Liebe seines Lebens ans Theater in einer anderen Stadt, dann geht sie todsicher mit Lars Hermann ins Bett. Oder mit Liz Brighton.
Antonia sprach in Bamberg (oder Regensburg) die Rollen vor, die ich mit ihr einstudiert hatte, und der Intendant, Herr Dr. Soundso, war sehr angetan. Er wollte sie *vom Fleck weg engagieren.* Antonia sagte, sie würde sein Angebot sehr gern annehmen, aber sie hätte noch einen Pferdefuß, nämlich mich. Wir seien Partner, wir arbeiteten zusammen und – ja, und dann erzählte sie so begeistert von unserem Training und allem, was wir dabei herausgefunden hatten, von *Mitte, Stimmigkeit, Kunst des Bogenschießens, jo-frutti* und so weiter, daß der Intendant immer neugieriger und sogar richtig animiert

wurde und sagte, er habe zwar keinen Platz mehr im Ensemble, aber ich könne ihm ja auch noch vorsprechen, wenn ich schon mal da sei. Ich sprach ihm die Rollen vor, die Antonia mit mir einstudiert hatte, den *Jim* aus der *Glasmenagerie*, den *Dauphin* aus der *Lerche*, den *Schüler* aus dem *Faust* – und es gefiel dem Mann nicht schlecht, wie er sagte, aber deswegen hatte er immer noch kein Geld und keine *Vakanz* für mich.
»Okay«, sagte ich, »dann komme ich umsonst. Sie müssen mir aber ein paar gute Rollen geben.«
Das sei unmöglich. Er habe die ganze Spielzeit schon verplant.
»Aber wie wäre es mit Regieassistenz?«
Ich hatte schon einige Male Regieassistenz gemacht und wußte, wie das ging. »Okay«, sagte ich, »aber unter einer Bedingung.«
»Ja, bitte?«
»Daß ich auch eine eigene Regie bekomme.«
Es war Größenwahn. Der Mann sah mich zum erstenmal und sollte mir gleich eine Inszenierung anvertrauen. Ja, woher! Ich traute sie mir ja selbst kaum zu. Außerdem waren wir eigentlich gegen die Position des Regisseurs, das hatten wir doch gerade öffentlich verkündet! Galt der Protest nicht mehr, wenn man selbst ein Zipfelchen Macht erwischen konnte?
Ich glaube, in meinem Innersten betete ich darum, daß der Intendant nein sagte, damit ich nicht auf einmal dastand und mir überlegen mußte, wie ich ein Stück inszeniere. Ich war ein guter Trainer oder Schauspiellehrer, aber eine ganze Schar von Schauspielern zu einem halbwegs erträglichen Provinztheaterkunststück abzurichten, das war etwas anderes. Vielleicht wäre es auch gut gegangen, man wächst ja mit der Aufgabe, und aller Anfang ist Hochstapelei, aber es kam sowieso nicht dazu. Herr Dr. Soundso sagte zwar immer

noch nicht, »Da ist die Tür« oder »Gehen Sie doch bitte wieder dahin zurück, wo Sie hergekommen sind«, sondern wiegte bedenklich mit dem Kopf und leckte sich die Finger nach einer möglicherweise gar nicht so schlechten kostenlosen Arbeitskraft – denn wer sich etwas zutraut, der kann vielleicht auch was –, aber er scheute dann doch das *Risiko*, wie er sagte, was natürlich Unsinn war, weil ein Stadt- und Subventionstheaterintendant gar nicht weiß, was Risiko ist. Das war das Ende unserer Theaterlaufbahn. Aus Liebe zueinander und zu unserem Training folgten wir dem Lockruf von Gerhard Krepp, gingen nach Berlin und mischten uns unter die Genossen, *um die Revolution zu machen.*

DIE REVOLUTION BRAUCHT JEDEN MANN

Gerhard Krepp, den ich nun auch persönlich kennenlernte, war ein kleiner, rothaariger und sommersprossiger Mensch mit einem überproportional großen Kopf und einer überproportional großen Klappe. Er hatte uns eine Unterkunft besorgt, nur eine vorübergehende, aber immerhin. Der *Genosse*, bei dem wir wohnen durften, hieß Werner Hirschkeul, war Linguist und empfahl uns die Lektüre von Lenins »Was tun?« Er war, was wir allerdings erst später lernten und begriffen, ein *Revi*, ein Revisionist, wie die Anhänger der Moskauer Linie des internationalen Kommunismus von allen, die es nicht waren, genannt wurden. Er verteidigte die Berliner Mauer, deren fünfter Geburtstag gerade in Ost und West gefeiert wurde, nannte sie einen *antiimperialistischen Schutzwall* und behauptete, in fünf bis zehn Jahren werde der Westen dem Osten die Mauer abkaufen und sie im eigenen Interesse stehenlassen, weil die Leute dann aus lauter Sehnsucht nach dem Sozialismus in die umgekehrte Richtung fliehen würden.

Hirschkeul besaß eine große Wohnung in der Nähe des Schöneberger Rathauses und stellte uns für eine Übergangszeit ein winziges Zimmer zur Verfügung, eine ehemalige Mädchenkammer, in die mit Müh und Not ein normales Bett und ein grünes Feldbett paßten.

Wir suchten uns eine Wohnung, was schon damals nicht ganz leicht war, und fanden schließlich eine in Reinickendorf, also *jwd*, wie der Berliner sagt, *janz weit draußen*. Antonia und ich steckten uns falsche Ringe an und gaben uns als verheiratet aus, damit die Hausbesitzerin nicht glaubte, wir wollten eine Kommune gründen. Alle Vermieter fürchteten damals, die Mieter wollten Kommunen gründen und darin Sex machen, anstatt Ehen zu gründen und darin Sex zu machen.

Die Wohnung lag im ersten Stock eines Vierparteienhauses und mußte von Grund auf renoviert werden. Wir brauchten sechs Wochen dazu, und in dieser Zeit pendelten wir zwischen Reinickendorf und Schöneberg hin und her. Abends, bevor wir uns in unsere Kammer zurückzogen, gingen wir in die Pizzeria *Roma* in der Belziger Straße. Es war die erste oder zweite Pizzeria, die es überhaupt in Berlin gab, und wir konnten uns nicht genug darüber begeistern, daß es ein so leckeres und zugleich preiswertes Essen gab. Salami, Käse, Peperoni! Ich hatte noch nie zuvor Peperoni gegessen und wurde süchtig danach.

Kurz bevor wir unser Behelfsquartier verließen, wurde Antonia von Gerhard Krepp um eine Unterredung unter vier Augen gebeten. Krepp hatte damals gerade seine *Freud*-Phase. Er las den ganzen Freud von vorne bis hinten und verlangte von allen anderen, daß sie dasselbe taten. Wer sich weigerte, wurde in Grund und Boden verhöhnt, verspottet und verurteilt. Ein paar Monate später verlangte er von allen mit derselben Entschiedenheit, daß sie Trotzki lasen. Irgendwann war es dann der Börsenteil der *Frankfurter Allgemeinen Zeitung*, und nun wurden alle, die jemals Lenin, Trotzki oder Marx gelesen hatten, mit derselben Vehemenz verurteilt, verspottet und verhöhnt. Er war eben ein leidenschaftlicher Verhöhner. Daß er mit Antonia allein sprechen wollte, empfand ich als schweren Angriff, daß Antonia darauf einging, als Verrat. Normalerweise machten wir alles zusammen. Wir arbeiteten zusammen, trafen uns mit Freunden und Bekannten immer nur als Paar, redeten selten von »ich«, meistens von »wir«, und schliefen natürlich zusammen – gemeinsam oder miteinander, wie es gerade kam. Das wußte auch jeder oder konnte es sich zumindest denken. Und nun, auf einmal, erlaubte sich einer, darauf zu dringen, daß Antonia mit ihm allein spreche, ausdrücklich ohne mich. Ich fühlte mich *ausgeschlossen.* Ich hatte keinen Zweifel daran, daß Krepp etwas gegen mich im Schilde führte, aber Antonia meinte, das, was er mit ihr zu bereden habe, müsse doch nicht unbedingt etwas mit mir zu tun haben, vielleicht habe er schwere Sorgen oder Identitätsprobleme, oder er sei verliebt und wolle mal mit einer Frau darüber sprechen. Auf jeden Fall könne sie ihm das Gespräch nicht verweigern, sie sei schließlich mit ihm befreundet und habe schon auf der Schauspielschule in Hamburg viel mit ihm geredet und gelacht.

Natürlich führte er doch etwas gegen mich im Schilde. Er redete, wie Antonia mir hinterher erzählte, mit der ihm eigenen vehementen und zugleich witzig-intelligenten Art auf sie ein und versuchte, ihr mit allen möglichen Argumenten klarzumachen, daß ich *der Falsche* für sie sei. Sie täte besser daran, sich von mir zu trennen. Ich sei zu naiv, zu einfältig und zu langweilig für sie. Sie sei mir *bei weitem überlegen, von ganz anderem Kaliber, eine Klasse- oder Rassefrau* sowieso, aber auch viel intelligenter, klüger, gebildeter, aufgeklärter und vor allem *politischer* als ich, was damals das allerhöchste Lob war. Das mit dem Politischen war, nebenbei bemerkt, eine besondere Gemeinheit: Der politische Kopf oder wenigstens derjenige, der sich während unserer Theaterzeit überhaupt ein bißchen für Politik interessiert und gelegentlich mal in die Zeitung geschaut hatte, war ich gewesen, Antonia hatte

immer nur in höheren Regionen geschwebt. Ihre politische Bildung erschöpfte sich darin, daß sie aufgrund ihrer Shakespeare-Lektüre wußte, wer in den Rosenkriegen gegen wen gekämpft hatte, das Haus Lancaster gegen die Yorks, oder die Yorks gegen die Lancasters, was weiß ich.
Aber es ging Krepp ja gar nicht um die Wahrheit und auch nicht bloß darum, daß Antonia mich verlassen sollte. Er wollte, daß sie sich mit einem anderen zusammentue und mit ihm die Revolution vorantreibe. Er hatte auch schon eine ganz konkrete Vorstellung davon, wie dieser andere beschaffen sein und auf welche Art und Weise er einer Klasse- oder Rassefrau das Wasser reichen können müsse, kurz, er meinte niemand anderen als sich selbst.
Nun, Antonia ging nicht zu Krepp, sie zog mit mir nach Reinickendorf. Sie sah sogar ein, daß ich und damit auch *wir* nicht allzuviel Interesse daran haben konnten, uns weiterhin mit ihm zu treffen und mit ihm ins Kino zu gehen. Trotzdem hinterließ sein Anschlag Spuren. Antonia mochte im stillen darüber nachdenken, ob sie wirklich *von ganz anderem Kaliber* sei als ich, und in meiner Seele hatte von nun an die Furcht, ich sei ihr auf Dauer nicht gewachsen, einen festen Platz. Vielleicht war es aber auch nur der Verdacht, ich sei *der Falsche*, den ich von Anfang an gehabt, wenn auch nicht hatte wahrhaben wollen.

Es gibt in der griechischen Mythologie die Figur des Antäus, dessen Kraft sofort dahin ist, wenn er die Berührung mit der Erde verliert. So ging es mir mit dem Theater. Während Antonia über ihrer Neugier für die *Revolution* oder die *linke Bewegung*, die *Studentenbewegung*, die *Apo* oder wie immer die Namen dieses gesellschaftlichen Aufbruchs- und Aufruhr-

phänomens gelautet haben, das Theater vergaß, litt ich unter einer anhaltenden Sehnsucht nach dem Scheinwerferlicht, zu der ich mich aber nicht bekannte, nicht einmal vor mir selbst, weil die in der Linken verbreitete These vom *Ende der bürgerlichen Kunst*, die damals überall propagiert wurde, auch meine Gedanken beherrschte. Mein Herz sehnte sich zum Theater zurück, mein Hirn verbot ihm diese Sehnsucht und versuchte, es umzuerziehen. Da aber die Umerziehung des Herzens niemals vollständig gelang, war ein Teil meiner Seele von nun an immer *woanders, nicht ganz bei der Sache, nicht voll da.* Wir rannten von teach-in zu teach-in, von Basisgruppe zu Basisgruppe und versuchten, alles in uns aufzusaugen und zu begreifen, was dort stattfand. Aber abgesehen von der Schwierigkeit, die Unterschiede zwischen Maoisten und Revisionisten, Randgruppentheoretikern und Hauptwiderspruchsdogmatikern zu verstehen – allein die Worte *Subsistenzmittel, Basis, Überbau, hast du dich schon an der Basis legitimiert, kannst du mir das mal vermitteln* –, es dauerte ewig, bis ich mir irgend etwas darunter vorstellen konnte, und als es soweit war, wollte ich es kaum noch wissen –, abgesehen davon spürte ich immer einen etwas ratlosen Zug in meinem Gesicht, der soviel besagte wie: Alles schön und gut, aber was habe ich damit zu tun? Sollte ich nicht lieber zum Theater zurückgehen und bürgerliche Kunst machen, anstatt mit nichts als meinem *politischen Bewußtsein* in der Gegend herumzurennen und den Revolutionär zu spielen? Mein ohnehin nicht gerade übersteigertes Selbstbewußtsein verfiel von Tag zu Tag. Wer oder was waren wir jetzt eigentlich? Die anderen waren Studenten, Sozialarbeiter, Lehrer, irgendwas – und wir? Und ich?
Ganz am Anfang konnte ich noch von der Erinnerung an unser Schauspielerdasein zehren. Wenn wir an der Universität

umherirrten, zunächst natürlich im theaterwissenschaftlichen Institut, und auch das eine oder andere Seminar besuchten, obwohl wir gar nicht *eingeschrieben* waren, dann gaben wir uns als Schauspieler zu erkennen und wurden auch als solche betrachtet, sogar mit einem gewissen Respekt. Schauspieler seien, so erklärten wir den anderen, gleichsam *die Arbeiter des Theaters*, jedenfalls innerhalb des künstlerischen Betriebes, und da die Studenten auf nichts mehr versessen waren als darauf, *echte Arbeiter* zu gewinnen, hatten wir einen gewissen Basis-Bonus, wir *kamen von der Basis* des Theaters, nämlich von der Bühne.

In Reinickendorf nahmen wir zunächst unser Training wieder auf. Bei den Theaterwissenschaftlern hatten wir Manfred (»Manne«) Krüger kennengelernt, einen lebensfrohen Genossen, der ungeniert beim Essen rülpste und furzte, und der, wofür ich ihn moralisch verurteilte und maßlos beneidete, in einer Kreuzberger Kellerwohnung mit zwei Frauen zusammenlebte und -schlief. Manne Krüger schloß sich unserem Training an. Mit ihm zusammen kam Gernot Gurcik, genannt *Gurke*, ein aufstrebendes Arbeiterkind aus Ludwigshafen. Die beiden wollten schon lange eine Theatergruppe gründen. Und noch jemand tauchte bei uns auf: John Masterson, ein Amerikaner mit kräftiger, untersetzter Figur, langem Rauschebart, Hakennase und stumpfen braunen Augen, der unaufhörlich Witze riß, die ich aber nicht verstand, weil er so nuschelte und weil ich Witze ohnehin nicht verstehe. John behauptete, er arbeite für den CIA, und alle lachten darüber, aber niemand wußte genau, ob es nicht die Wahrheit war. Aber wofür trainierten wir eigentlich? Dafür, daß wir alle *stimmig* wurden und *aus der Mitte heraus* sprachen oder das Bein hoch genug hoben und die Spirale mit einem Gymna-

stikball drehen konnten? Und sonst? Was wollten wir machen? Straßentheater? Bloß das nicht. Eine *freie Theatergruppe* gründen? Das hätte man machen können, aber mit solchen Laien wie Gurke, Krüger, Masterson? Lieber kein Theater als schlechtes Theater, dachte ich, aber das sagte ich natürlich nicht, weil es *elitär* gewesen wäre. Das Dilemma war, daß wir zwar ein anders organisiertes Theater forderten: demokratisch, kollektiv, ohne Hierarchie –, aber nicht wußten, was für Stücke wir darin spielen wollten. Es fehlte der Inhalt, das künstlerische Ziel, und daher auch die Kraft, die Ausdauer, die Energie oder die *Power*, eine neue Form von Theater zu verwirklichen. Bald forderten wir die Demokratisierung des Theaters nur noch für andere, nicht mehr für uns selbst.
Statt mit ihnen Theater zu spielen, übte ich mit Gurke und Manne Krüger die Herstellung von Molotowcocktails. Wir hatten aus der Untergrundzeitung *Linkeck* eine Bastelanleitung dafür und hielten uns auch genau daran, aber es wollte nicht klappen. Das Gemisch stimmte, die Flaschen waren okay, vielleicht haperte es am Zünder? Der Zünder war ein benzingetränkter Lappen, der das Feuer in die Flasche hineintragen und sie dann zum Explodieren bringen sollte. Ich glaube, wir hatten sechs Cocktails gemixt, für jeden zwei. Mit denen fuhren wir zu nächtlicher Stunde in den Tiergarten, zündeten die Lappen an und warfen die Flaschen in hohem Bogen von uns. Der ganze Tiergarten hätte abbrennen können wie damals im Krieg, als die Alliierten ihn bombadiert hatten, aber nichts geschah. Ich war nicht unglücklich darüber. Stell dir vor, du wirfst einen Molotowcocktail, und er geht los, dachte ich. Oder du wirfst ihn nicht, und er geht los! Seit ich als Kind in einem Film gesehen hatte, wie man mit einer Eierhandgranate umgeht – man mußte einen Metallring

abziehen, dann bis zehn zählen und erst danach die Handgranate wegwerfen –, hatte ich eine Zwangsvorstellung, die mich oft vor dem Einschlafen heimsuchte: Ich hatte den Metallring abgerissen, hielt die Granate in der Hand, wollte sie in die feindlichen Reihen werfen und war wie gelähmt. Ich konnte nicht. Ich weiß nicht warum. Ich wurde das Ding einfach nicht los. Merkwürdigerweise hatte ich bei diesen Grübeleien unendlich viel Zeit, mir die Sache auszumalen und mich zu ängstigen, ohne daß die Handgranate explodierte. Weder ging ich in die Luft, noch schlief ich ein, schon aus Angst, ich würde dann in die Luft gehen. Sehr gut geeignet für solche Phantasien waren auch Dynamitstäbe mit langer, grauer Zündschnur, da konnte man noch besser sehen, wie der Funke sich dem Sprengstoff näherte.

Diese Zwangsvorstellung hinderte mich jetzt daran, so lange zu warten, bis der Zündlappen an meiner Flasche richtig brannte. Ich zündete ihn an, dachte, nichts wie weg damit, und warf den Molotowcocktail weit von mir. Schon während des Fluges ging das Feuer aus. Beim zweiten Mal warf ich in meiner Panik das Feuerzeug weg und behielt die Flasche in der Hand, so daß der Zündlappen diesmal etwas mehr Zeit zum Brennen hatte, aber es half trotzdem nichts. Auch die anderen hatten keinen Erfolg. Irgend etwas mußte an der Bastelanleitung nicht gestimmt haben. Oder hatten Manne und Gurke in ihrer Kindheit auch Zwangsvorstellungen gehabt? Wir sprachen nicht darüber. Wir gaben die Idee mit den Molotowcocktails auf und beschlossen, uns mit Farbeiern zu begnügen. Dann gingen wir zu *Herta*, einer *linken Kneipe* in der Schlüterstraße und tranken Bier.

Die Demonstration, auf die wir uns vorbereiteten, war die später so berühmt gewordene *Schlacht am Tegeler Weg*, die

allerdings den Tegeler Weg nie erreichte. Es ging darum, das Landgericht zu stürmen und den Genossen Mahler zu befreien, der wegen irgendeiner im Vergleich zu späteren Verfehlungen relativ geringfügigen Sache vor Gericht stand. Er mußte auch gar nicht befreit werden, er ging als freier Mann hinein und kam als freier Mann wieder heraus, aber ihn zu befreien war nun einmal von unschätzbarem symbolischen Wert für *die Bewegung*. Einen oder zwei Tage vor dem 4. November gab es ein teach-in im Auditorium Maximum der Technischen Universität, auf dem die verschiedensten Redner mit aufregenden Argumentationen einen Zusammenhang zwischen unserem Kampf und dem des vietnamesischen Volkes herstellten. Was den Vietnamesen die Befreiung ihres Landes vom US-Imperialimus, das war uns die Befreiung des Genossen Mahler aus den Fängen der Justiz. Antonia und ich saßen auf dem Balkon des *Audimax* in der ersten Reihe und schrieben alles mit, damit wir wenigstens hinterher, zu Hause, etwas verstanden. Der Höhepunkt dieser Veranstaltung war, daß der Genosse Semler atemlos herbeistürzte und mit der ihm eigenen hohen und zugleich mitreißenden Stimme verkündete, er hätte mit dem Rockerkönig Rudi Matern verhandelt, und die Verhandlungen hätten ergeben, daß bei der geplanten Demonstration fünfzig Rocker mitmachen würden. Ein Jubelschrei ging durch die Massen! Rocker! Auf unserer Seite! Proletarisch, furchtlos, schlägereierfahren! Wenn jemand gesagt hätte, Prinz Eisenherz würde uns beistehen, hätte der Jubel nicht größer sein können.
Ausgerüstet mit Bauarbeiterhelm (gegen Gummiknüppelschläge), Zitronenhälften (gegen Tränengas), regendichter Kleidung (gegen Wasserwerfer) und Farbeiern (zum Werfen) fuhren wir am Morgen des 4. November zum Mierendorff-

platz, wo sich *die Massen* sammeln sollten. Der Tegeler Weg selbst, an dem sich der Eingang des Landgerichts befand, war abgeriegelt, also mußten wir uns von hinten heranschleichen. Aber auch da stand natürlich Polizei. Sie hatte ihre Absperrgitter, die sogenannten Hamburger Reiter, in der Osnabrücker Straße aufgebaut, direkt hinter der Kamminer Straße. Diesseits der Kamminer Straße formierten sich in Zehnerreihen die Genossen. Die Kamminer Straße selbst blieb frei, als wäre sie ein Wassergraben oder eine Tabuzone, deren Verletzung die Schlacht eröffnen würde. Wir, das heißt Antonia, Gurke, Krüger und ich, standen in der dritten Reihe, also *in vorderster Front*. Es gibt noch heute Schulbücher, in denen ein Bild von dieser archaischen Schlacht abgedruckt ist, und ich bin darauf sehr gut zu erkennen.
Die *Bullen*, die noch die traditionellen Tschakos trugen, auf der einen, die Genossen auf der anderen Seite, so standen wir uns eine Ewigkeit fast unbeweglich gegenüber wie zwei Sumokämpfer. Nichts geschah. Nicht einmal ein Farbei wurde geworfen. Mir fehlte natürlich auch der Mut, das erste Ei zu werfen. Ich war zuvor erst bei einer einzigen Demonstration gewesen, und zwar in Bonn, beim Sternmarsch gegen die Notstandsgesetze, und da war alles so friedlich und harmonisch zugegangen, als handelte es sich um eine Veranstaltung des Evangelischen Kirchentages. Hier aber lauerte Gewalt. Mußte man nicht sogar sein Leben einsetzen, um den Genossen Mahler zu befreien? Aber nichts passierte. Dann – und ich weiß bis heute nicht, ob hier Zufall oder generalstabsmäßige Planung am Werk war, und wenn Planung, welche der beiden Seiten dafür verantwortlich war – geschah etwas, das alle, die dort standen und darauf warteten, daß die Schlacht begann, vollkommen aus der Fassung brachte: Ein riesiger Lastwagen

mit Anhänger fuhr auf die Kreuzung und blieb stehen. Statt des Wassergrabens war nun der Lastwagen da, und auf seiner Ladefläche türmten sich, man mochte seinen Augen nicht trauen, Steine über Steine. Wahrscheinlich war irgendwo ein Haus abgerissen worden und dieser Lastwagen brachte den Ziegel- und Klinkerbruch auf einen Schuttabladeplatz. Aber wieso kam er ausgerechnet heute, zu dieser Stunde, in dieser Minute, in die Kamminer Straße und blieb auf der Kreuzung stehen? Nun, wie auch immer, nachdem die Genossen in der ersten Reihe aus dem Staunen herausgekommen waren und die Gunst der Stunde begriffen hatten, enterten sie den Lastwagen, öffneten die Schotten und ließen die Steine auf die Straße purzeln. Der Lastwagen fuhr nun zwar weiter, aber es war doch genug Munition vorhanden, um den Sturm aufs Landgericht zu beginnen. Entschlossene Kämpfer, die ich dafür maßlos bewunderte, rannten auf die Absperrgitter zu und machten Anstalten, hinüberzuklettern. Die Polizisten schlugen sie mit Gummiknüppeln zurück. Andere Genossen warfen Steine. Ich ermannte mich und warf ein Farbei. Es zerplatzte auf dem Tschako eines jungen Polizisten und die dünne graue Ölfarbe troff ihm über das Gesicht. Ich fühlte mich als Held, bedauerte aber, daß ich keine rote oder gelbe Farbe in das hohle Ei gefüllt hatte. Dann ein Schrei: Tränengas! Zugleich öffnete ein Wasserwerfer seine Rohre. Ich träufelte mir Zitronensaft in die Augen und floh in Richtung Mierendorffplatz. Ich war nicht der einzige, der floh. Alle zogen sich zurück. Berittene Polizisten folgten uns und prügelten von oben herab auf die Köpfe ein. Das war nicht schlimm, wenn darauf ein Bauarbeiterhelm saß, wenn nicht, gab es eine Platzwunde, die verdammt schmerzhaft war. Es blutete dann, und das Blut verklebte die Haare. Auf dem

Mierendorffplatz stoben die Genossen in alle Richtungen auseinander. Die Mutigen aber blieben stehen und nahmen den Kampf wieder auf, so daß allmählich auch die weniger Mutigen zurückkehrten und sich mal mehr, mal weniger daran beteiligten. Auf dem Platz lagen überall Haufen von grauen Steinen, die von vorausschauenden Genossen aus dem Pflaster herausgerissen worden waren. *Mach doch mal ein paar Argumente los*, war die Parole des Tages. Man nannte die Steine »Argumente«, weil die *Faschisten* oder *Bürgerlichen* oder *Scheißliberalen* nicht müde wurden zu wiederholen, daß »Steine keine Argumente« seien. Ein Steinhagel empfing die Polizisten, die aus der engen Osnabrücker Straße auf den Platz wollten. Ich nahm, nachdem ich mein zweites Ei geworfen hatte, auch einen Stein zur Hand, obwohl ich nicht besonders gut im Werfen war. Früher, in der Schule, gab es bei sogenannten Sportfesten, auf denen ich mich immer nur herumgequält hatte, das Schlagballwerfen, eine Disziplin, die mir von allen die verhaßteste war. Ich konnte das einfach nicht, ich hatte den Schwung nicht raus. Die anderen warfen den Ball locker vierzig Meter weit, ich war schon froh, wenn er nicht gleich vor meinen Füßen niedertropfte. Nun sollte ich einen Stein werfen. Als Zielscheibe wählte ich einen Reiter in Uniform, der gerade seinen Schlagstock schwang und einen Genossen verfolgte. Jetzt, dachte ich, jetzt. Der Wurf war gar nicht mal so schlecht. Der Stein verfehlte den Kopf des Polizisten nur um Haaresbreite, aber da ich nicht getroffen hatte, flog er natürlich weiter. »Doch nicht auf Genossen werfen!« schrie irgend jemand, aber da war es schon zu spät. Ich sah wie der Stein sich langsam aber sicher dem Kopf des flüchtenden Genossen näherte. Ein quadratischer Stein mit acht scharfen Ecken. Der Genosse trug keinen Helm. Ich sah bereits ein riesiges Loch in

seinem Kopf. Ich sah ihn sogar tot zu Boden sinken. Aber wir hatten Glück. Der Genosse, der Polizist und ich. Ich hätte sie in diesem Augenblick alle beide umarmen mögen.
Der größte Teil der Schlacht spielte sich auf der Schloßbrücke ab. Hüben steinewerfend die Genossen, drüben mit Wasserwerfern, Tränengas und Schlagstöcken die Polizisten, die aber auch hin und wieder mal einen Stein aufhoben und zurückwarfen. Der Kampf wogte lange hin und her und wurde immer sinnloser. Was wollte man erreichen? Das Landgericht war weit entfernt. Horst Mahler hatte es wahrscheinlich längst verlassen. Selbst wenn wir es eroberten, was immer unwahrscheinlicher wurde, was sollten wir da drin, wenn es niemanden mehr zu befreien gab? Ein bißchen in den Akten herumwühlen oder sie verbrennen oder uns den Hintern mit ihnen abwischen wie der Genosse Pawla im Gerichtssaal? Als irgend jemand die Parole ausgab, einen *geordneten Rückzug* anzutreten, war ich zutiefst niedergeschlagen. Wir haben verloren, dachte ich, wir haben es nicht geschafft. Und das, obwohl die Rocker dabei waren. Ich machte mir auch Vorwürfe, nicht mutiger gekämpft zu haben. Hatte ich mein Leben eingesetzt? Leider nicht. Nun mußte ich ruhmlos weitervegetieren, ein Feigling, der morgens nicht mehr in den Spiegel schauen konnte. Aber – Moment mal! Was war das? Aus den Lautsprechern im Audimax erscholl statt Selbstzerknirschung Jubel, Begeisterung, Euphorie! »Ab heute hat die Bewegung eine neue Qualität erreicht!« rief ein Genosse. »Wir haben gezeigt, daß wir nicht länger wehrlose Opfer der faschistischen Staatsgewalt sind, wir haben gezeigt, daß wir kämpfen können!« Und dann sangen alle *Die Internationale*, und ich vergaß den Stein und meine Niedergeschlagenheit und war, trotz aller Vorbehalte, hin- und mitgerissen.

EINMAL DER NEUE MENSCH

Bereits nach einem halben Jahr gaben wir das Training und damit jede Ambition auf eine Rückkehr zum Theater auf und verließen Hals über Kopf die mühsam renovierte Wohnung in Reinickendorf. Was sollten wir da draußen, jwd, wenn wir den großen Trainingsraum nicht mehr brauchten? Wir zogen nach Kreuzberg in eine möblierte Hochparterrewohnung, die einem Schauspieler gehörte, der *in Westdeutschland* ein Engagement gefunden hatte. Es war eine Eineinhalbzimmerwohnung mit kleiner Küche und einem Klo ohne Lüftung, also ein ziemliches Loch, darunter befand sich ein Möbellager, in dem es, wie wir später erfuhren, von Ratten wimmelte, aber solange man sie nicht sah oder hörte, störten sie einen nicht.

In dieser Wohnung begannen wir mit einem neuen Lernprogramm, das wir aus alter Gewohnheit immer noch *Training* nannten. Es bestand darin, täglich eine festgesetzte Anzahl von Stunden vor uns hin zu studieren, alles, was man in der Linken so brauchte: Marx, Lenin, Adorno, Lukacs, die Geschichte der Arbeiterbewegung, Wilhelm Reich. Antonia hatte von Haus aus – vornehmlich von ihrem Vater – eine gehörige Portion intellektueller Disziplin mitbekommen, vor allem Geduld und die unerschütterliche Zuversicht, daß steter Tropfen den Stein höhle. So lasen wir zum Beispiel täglich genau zehn Seiten aus dem »Kapital« von Karl Marx.

Schon auf der ersten Seite erfuhren wir, daß *der Reichtum der Gesellschaften, in welchen kapitalistische Produktionsweise herrscht, als eine ungeheure Warensammlung* erscheine. Das war mir bisher noch gar nicht aufgefallen. Wenn ich aus unserem Kreuzberger Loch heraustrat und die Augen aufsperrte, um die ungeheure Warensammlung zu sehen, hatte ich damit zunächst die größten Schwierigkeiten. Ich sah nur Leute, die so oder so aussahen, sich so oder so bewegten und hörte sie so oder so sprechen. Wahrscheinlich war die Schauspielerei daran schuld. Als wir weiterlasen, lernten wir den Unterschied zwischen dem *Gebrauchswert* und dem *Tauschwert* einer Ware kennen und später kamen wir zu der Einsicht, daß der Gebrauchswert eigentlich gar kein »Wert« sei, sondern nur ein Hilfs- und Übergangsbegriff dafür, daß die Ware *Einheit von Gebrauchgegenstand und Wert* wäre. Was aber war die Substanz des Wertes? Nun, das lag eigentlich auf der Hand. Wenn man zwei Waren miteinander gleichsetzte – und das war es doch wohl, was im Tausch geschah, tauschen hieß gleichsetzen –, und wenn man sich dann fragte, was das gemeinsame Dritte sei, das die beiden so unterschiedlichen Gebrauchsgegenstände – Rock und Stuhl – aufwiesen, so daß sie überhaupt in eine Tauschgleichung hineingeraten konnten, dann kam man zwangsläufig darauf, daß das *tertium comperationis*, das sie enthielten, die Arbeit sei. Warum? Nun, da stand es doch! Ein leiser Zweifel nagte zwar an mir, aber ich brauchte Jahre, bis ich den Mut hatte, ihn auszusprechen.

Es war aber auch wunderbar und zum Staunen, wie in diesem gewaltigen Werk mit unerbittlicher Logik und einer Fülle von empirischem Material die Funktionsweise des Kapitals erklärt wurde! Mit Genugtuung erfuhren wir vom *tendenziellen Fall der Profitrate*, durch den der Kapitalismus quasi mit Naturnotwendigkeit zugrunde gehen würde. Nur – warum hatte er sich überhaupt so lange gehalten? Ach ja, wegen der *entge-*

genwirkenden Ursachen! Diese dem Fall der Profitrate entgegenwirkenden Kräfte machten uns die größten Sorgen. Was, wenn sie den Fall ewig aufhalten würden? Dann ginge der Kapitalismus doch niemals zugrunde! Das Beunruhigende bei der Sache war überdies, daß man die Werte nicht messen konnte! Es gab ja das Wert-Preis-Problem: Der Wert *erschien* im Preis und wurde dadurch *modifiziert*. Und dann – was mußte man nicht alles bedenken, wenn man der Tatsache ins Auge blickte, daß der Kapitalismus von heute ja gar kein *Konkurrenzkapitalismus* mehr war, sondern ein *monopolistischer*? Zum Glück hatten die amerikanischen Ökonomen *Baran und Sweezy* ein Werk über den *Monopolkapitalismus* geschrieben. Wenn man es gelesen hatte, atmete man erstmal erleichtert auf: Auch der Monopolkapitalismus war zum Niedergang verurteilt. Aber natürlich gab es berechtigte Kritik an Baran und Sweezy, allein schon, weil sie sich um das Wert-Preis-Problem herumgedrückt und einfach Preise gleich Werte gesetzt hatten, was schlichtweg *vulgärmarxistisch* genannt werden mußte!
Gerhard Krepp hatte einen *Raubdruck* der parteitheoretischen Schriften von Georg Lukacs hergestellt und vertrieb ihn über die linken Buchhandlungen. Wir lasen mit klopfenden Herzen, was Lukacs über die Parteiorganisation zu sagen hatte, und gerieten ins Schwärmen darüber, daß gewisse Stimmigkeits-Prinzipien, die uns am Theater erleuchtungsartig aufgegangen waren, in diesen Schriften wieder auftauchten. Ja, Kunst und Politik hatten doch mehr miteinander zu tun, als wir uns hätten träumen lassen!
Verhielt sich nicht die Partei zu den Massen wie der Künstler zum Stoff? Oder wie der Regisseur zum Ensemble? Freilich hatten wir am Theater gerade gegen die Vorherrschaft der

Regisseure Stellung genommen, das beunruhigte uns ein wenig. Aber die Partei war ja das *Bewußtsein der Bewegung*, sie konnte wissenschaftlich exakt voraussagen, worauf die Geschichte schon die ganze Zeit hinauswollte, insofern mußte sie ja schon die Führung übernehmen! Andererseits – wie war es mit Stalin gewesen?
Nein, wir wollten keinen Stalin über uns, nicht einmal einen Lenin oder Lukacs. Wir wollten – *dialektisch* – die Welt verändern, indem wir uns selbst veränderten, und uns selbst verändern, indem wir die Welt veränderten. Ja, wir wollten die neuen, freien und besseren Menschen sein oder werden, und um auch bei uns selbst mit der Veränderung anzufangen, lasen wir zum Beispiel die Schriften von Wilhelm Reich, vor allem sein Hauptwerk über die »Funktion des Orgasmus«. Nur der freie Mensch habe auch einen freien Orgasmus, erfuhren wir jetzt, und daran könne man schon sehen, daß *die Herrschenden* den freien Orgasmus unbedingt verhindern müßten. Und das täten sie ja auch. Natürlich könne man nicht allein über den Orgasmus die Gesellschaft befreien, aber man dürfe ihn eben auch nicht außer acht lassen, sonst hätte man am Ende die neue Gesellschaft und immer noch den alten Menschen mit seiner Lustfeindlichkeit, seinen Potenzschwierigkeiten und seinen kümmerlichen Pseudoorgasmen. Besonders beeindruckend – aber auch einschüchternd – fand ich die graphische Darstellung eines gelungenen, also gleichsam kommunistischen Orgasmus', mit langsam ansteigender Erregung beim Vorspiel, für das man sich viel Zeit nehmen sollte, mit einem plötzlich steil ansteigenden Höhenflug zum Gipfel, mit einem heftigen – aber nicht brutalen! – Absturz oder besser: Abschwung und schließlich das wieder sanfte, nachbebenartige Auslaufen der Bewegung auf das Niveau des

Anfangs. Diese Modellkurve oder – wie man beim Slalom sagen würde – *Ideallinie* stand mir von da an immer vor Augen. Ich war glücklich, wenn wir ihr ein bißchen näher kamen, und zutiefst zerknirscht, wenn wir uns allzu weit davon entfernten.

Ich selbst hatte von Haus aus übrigens nur wenig intellektuelle Disziplin mitbekommen. Mein Vater war ein Mann der Praxis, und *Das ist doch alles Theorie* ein Schimpfwort für ihn. So vertraute ich mich ganz Antonias Führung an, und das bißchen, das ich in dieser Hinsicht gelernt habe, stammt von ihr.
Die Sache nagte aber an meinem Selbstbewußtsein: Bei unserem Schauspieler-training war ich noch gleichauf mit ihr gewesen, solange wir am Theater gewesen waren, hatte ich mich sogar leicht überlegen gefühlt, weil ich mir einbildete, der bessere Schauspieler zu sein – nun war sie mir in allem voraus. Man soll ja in einer Liebesbeziehung nicht miteinander konkurrieren, sondern nur wechselseitig das Wohl des anderen wünschen und befördern, aber was, wenn die Liebesbeziehung zugleich eine Arbeitsbeziehung ist? Wenn Arbeit und Leben eins werden und beide *Partner* vor lauter Einheit in eine *symbiotische* Abhängigkeit voneinander geraten? Und wenn sich dann die Kräfteverhältnisse verschieben? *Symbiose* war übrigens auch so ein Wort, das ich erst jetzt lernte, jedenfalls auf Menschen angewandt, und da galt es überraschenderweise als nichts Gutes. In bezug auf die Tierwelt wird Symbiose ja geradezu gefeiert, als Symbol für die Weisheit Gottes oder der Natur, etwa wenn der Krokodilwächter im Maul des Nilkrokodils herumhüpft und ihm die Zähne reinigt, wie bereits Herodot berichtet. Von den Menschen

aber – wenigstens von den modernen – wird verlangt, daß jeder für sich allein stehen könne. Abhängigkeit oder gar *Hörigkeit* gelten als Schande. Man soll sich ja auch seines eigenen Verstandes ohne Leitung eines anderen bedienen, sonst ist man nicht aufgeklärt. Ich hatte allerdings seit meiner frühesten Jugend ein Ideal von Liebe und Zusammenleben im Kopf, das dem, was nun verächtlich Symbiose genannt wurde, ziemlich ähnlich war. Ich stellte es mir als geradezu paradiesisch vor, nichts mehr allein und alles mit einer Frau, die ich liebte, gemeinsam zu machen, und das christliche Prinzip *Einer trage des anderen Last* schien mir eine wunderbare Maxime zu sein. Aber vielleicht dachte ich dabei mehr daran, meine eigene Lebenslast abzugeben – vor allem die, einen Daseinszweck zu finden, der der Lebensmühe wert gewesen wäre.

Unsere Wilhelm-Reich-Lektüre erinnerte mich recht unangenehm daran, daß die Beziehung zu Antonia in sexueller Hinsicht nicht gerade *das Gelbe vom Ei* war. Das hing, wie ich vermutete, mit dem Anfang zusammen. Wenn man bei einer Frau erst einmal wochenlang impotent ist, aus welchen Gründen auch immer, dann wird man diese Schwäche niemals wieder los, auch wenn man später im Bett so einigermaßen über die Runden kommt. Ich bin gar nicht der Ansicht, daß Sex das Wichtigste in einer Liebesbeziehung oder in einer Ehe sei, aber es ist eben auch nicht gut, wenn man immer Angst hat, daß man nicht kann oder nicht lange genug kann und irgendwie gebremst oder gezügelt an die Sache herangeht. Ich hatte immer Angst, wenigstens bei Antonia. Judith K. hatte mir, als wir unsere Trennung besiegelten, ein großzügiges Abschiedsgeschenk gemacht: Ich sei, sagte sie, bevor sie den Telefonhörer für immer auflegte, im Bett so gut gewesen wie kein anderer, Lars Hermann inbegriffen. Das hatte mich, weil ich gerade in der schönsten Impotenzverzweiflung mit Antonia war, gehörig aufgerichtet, und vielleicht war dieses Abschiedskompliment sogar der Grund dafür gewesen, daß es mit Antonia dann doch so einigermaßen klappte. Aber eben nur einigermaßen; denn für sie war ja, wie ich immer dachte, Jan-Peter Gruhl der Größte, das hatte ich tausendmal von ihr gehört. Wenn ich eine allgemeine Regel aus dieser Erfahrung ableiten sollte, dann würde ich sagen: Verliebe dich nicht in eine Frau, die dir die Ohren davon vollschwärmt, wie toll ein anderer Mann im Bett ist. Oder meinetwegen auch anders herum: Eine Frau sollte ihrem Mann nicht dauernd von den Beischlafkünsten eines anderen vorschwärmen. Es sei denn, sie hat es darauf abgesehen, ihn impotent zu machen.

In Berlin kam jedoch, abgesehen von Krepps heckenschützenartigem Hinterhalt, noch ein besonderer Quell der Schwächung für mich hinzu: Die *Genossen*, mit denen wir zu tun hatten, waren fast ausnahmslos Männer. Zum Beispiel unsere Trainingsgruppe: Gurke, Krüger, Masterson und, wie mir erst jetzt wieder einfällt, noch einer, Hellmut Stamm, ein unverbesserlicher *Revi* mit einem durch kein Training zu begradigenden Krummrücken, der, was er damals natürlich noch nicht wußte, vom Schicksal dazu auserkoren war, einmal einen Gewerkschaftschor zu leiten. Alles Männer. Antonia als einzige Frau unter ihnen, und natürlich nicht als Mäuschen oder Häschen, sondern immer vorneweg. Zwischen Madame de Staël und Calamity Jane. Wenn sie sich hernach die Finger für die Emanzipation der Frau wundschrieb, dann mehr aus einer allgemeinen Identifikation mit ihrem Geschlecht heraus, nicht weil sie selbst der Emanzipation beson-

ders bedurft hätte. Es war die Fortsetzung der männlichen Avantgardeposition mit weiblichen Mitteln. Ich glaube, das war es, was mir das Gejammer und zickige Getue der Feministinnen immer so besonders unangenehm gemacht hatte: daß diejenigen am lautesten zeterten, die es am wenigsten nötig hatten. Wobei – wohlgemerkt! – Antonia niemals jammerte oder zeterte und auch nicht zickig wurde, das war nicht ihre Art. Sie war fröhlich, lustvoll, schwärmerisch, optimistisch, für sie gab es immer irgendwas zu feiern – ein Dauerton verhaltenen Jubels, der, wenn er richtig losgelassen worden wäre, also gesprochen hätte: »Seht, ich lehre euch die Überfrau!« Aber er wurde eben nicht losgelassen, und das sprach wieder für Antonia. Sie war schon gut, ja verdammt – und ich hatte darunter zu leiden. Ich mußte den Ehemann spielen oder den *Partner* – einer unserer Lieblingssongs war: »You and me, are gonna be partners, you and me, are gonna be pals« –, ich mußte sie und mich gegen Krepp und andere Rivalen verteidigen. Die Zeit war aus den Fugen, *sexuelle Revolution* in aller Munde, *wer zweimal mit derselben pennt, gehört schon zum Establishment*, und wenn Manne Krüger mit zwei Frauen schlafen konnte, dann würde Antonia wohl auch mal mit zwei Männern –?
Gernot »Gurke« Gurcik, ein hübscher, dunkelhaariger junger Mann mit einer zierlichen Figur, der seltsamerweise *Verfahrenstechnik* studierte, begleitete uns auf alle teach-ins und Demonstrationen. Er klebte in dunkler Nacht mit uns Plakate an die Mauern, *Amis raus aus Vietnam! Hoch die internationale Solidarität! Heraus zum 1. Mai! Haut den Unternehmer auf die Fresse, daß es kracht, Arbeitermacht, Arbeitermacht*! und feierte hinterher bei *Herta* in der Schlüterstraße die gerade nochmal gutgegangene Begegnung mit den *Bullen*. Sie

hatten uns angehalten, aber zum Glück nicht nachweisen können, daß wir es gewesen waren, die die Plakate geklebt hatten, Gurke hatte die Dinger geistesgegenwärtig auf dem Rücksitz unter seinem Mantel versteckt, und so waren wir noch einmal davongekommen. Er war der Held des Abends. Stolz, berauscht und kannibalisch wie fünfhundert Säue, riß er sich mitten in der Kneipe die Kleider vom Leib und tanzte nackt zu der Musik der *Stones*: »I can get no – satisfaction . . .«.

Er hatte ein möbliertes Zimmer in der Windscheidstraße, und weil wir keine Lust mehr hatten, nach Kreuzberg zu fahren, gingen wir mit zu ihm. Ich duschte sogar noch – aus irgendeinem Grunde war mir nach Duschen –, dann duschte auch Antonia – die Mitbewohner wunderten sich schon –, und schließlich hatte auch der junge Herr Gurcik noch das Bedürfnis zu duschen, er hatte ja auch viel getanzt und geschwitzt, und wer weiß, was noch kommen würde.

Ich weiß nicht, von wem es ausging. Es lag in der Luft. Es hatte, von der Konstellation her, schon lange in der Luft gelegen. Möglicherweise war sogar ich es, der die beiden ermutigte, einander zu umarmen und zu küssen. Ich dachte wahrscheinlich, es kommt ja doch soweit, *je eher daran, je eher davon*, aber ich hatte auch eine fremdartige Lust dabei. Ich streichelte sie und ihn und sah zu, wie sie einander streichelten, und irgendwann nahm ich, wobei ich mir sehr generös vorkam, sein pralles Glied in die Hand und führte es in Antonias Scheide ein. Ja, und ich weiß noch, wie überrascht ich von den schnellen, zappeligen Bewegungen war, mit denen er sich schließlich aufstöhnend seiner Samenlast entledigte. Abschwung und Nachbeben waren, so schien es mir, ineinander- oder gar durcheinandergeraten,

und wenn ich meinen Wilhelm Reich richtig verstanden hatte, dann war damit die Ideallinie doch um einiges verfehlt worden.
Hinterher ist man ja immer etwas ernüchtert, selbst wenn es der andere war, der den Orgasmus hatte. Ich dachte zwar, ich müsse jetzt auch noch ran, aber es kam mir albern oder verlogen vor. Ich stand auf, zog mich an, verließ die Wohnung und ging zum Stuttgarter Platz in ein Pornokino. Immer wenn ich etwas von mir abschütteln oder vergessen wollte, ging ich in ein Pornokino. Ich will das nicht propagieren oder beichten, es war einfach so. Jetzt bin ich der *neue Mensch* gewesen, dachte ich, ohne Eifersucht und Besitzansprüche, Antonia ist ja kein Privateigentum, sie kann selbst entscheiden, mit wem sie schläft, ob mit mir oder mit Gurke oder mit beiden, und vielleicht war dieser *Dreier* sogar ein Glück und eine Befreiung, jedenfalls ein Tabubruch und eine grenzüberschreitende Erfahrung, aber was soll das ganze Glück und die Befreiung, wenn ich sie nicht ertrage? Ich bin zu *bürgerlich*, um noch der neue Mensch zu werden, zu konservativ, zu reaktionär, zu spießig, das ist die Wahrheit. Und ich verzweifelte darüber, daß ich nicht so schuldig-unschuldig die reine, fröhliche, höllische Lust genießen konnte wie die Leiber, die ich dort oben auf der Leinwand in sich verknäuelt sah, sondern meine bürgerliche *Partner-Ideologie* mit mir herumschleppte und unverbesserlich den *Ausschluß* des Dritten, Vierten und Fünften aus meiner *Zweierbeziehung* wollte, den Besitzanspruch auf Antonia und womöglich sogar die Treue bis in den Tod. Ich hatte keine Ahnung, wie Manne Krüger es mit seinen beiden Frauen machte, es war wohl einfach so, daß das die neuen Menschen waren und wir noch nicht. Oder doch, Antonia war es bereits, sie

hatte nur das Pech, mit einem von der alten Sorte zusammenzusein.
Am nächsten Tag sagte sie, ich hätte dadurch, daß ich weggegangen war, *alles kaputtgemacht.* Ich sagte, es täte mir leid, aber ich hätte nicht anders gekonnt. Und dann vergaßen wir die Geschichte.

SCHWARZE NOTEN

Ja, die Revolution war ein gefährliches Pflaster, *unter dem Pflaster lag der Strand*, und am Strand ging es ein bißchen unmoralisch zu. Der sommersprossige Krepp hatte gezeigt, daß der Respekt der Männer vor dem Paar, das Antonia und ich waren, und besonders vor mir als ihrem Lebensgefährten nicht gerade überwältigend war. Und die Geschichte mit Gurke Gurcik bewies, daß es nicht gut war, andere Männer zu nahe an uns herankommen zu lassen, nicht in Zeiten, in denen der Tabubruch mehr galt als das Tabu. Aber es war auch nicht das größte Vergnügen, den ganzen Tag als Prinzgemahl mit einer Königin von Frau herumzulaufen und aufzupassen, daß kein anderer ihr zu nahe kam. Ich fragte mich auch manchmal, warum Antonia mich, der *alles kaputtmachte*, nicht einfach verließ, um als freie Frau zu leben. Aber es war ja nicht so, daß sie mich nicht liebte. Wir lebten nun seit zwei, drei Jahren zusammen, ergänzten einander in vielem und hatten eine gemeinsame Geschichte: Unser Training, den Abschied vom Theater, den Umzug nach Berlin und dort von Reinickendorf nach Kreuzberg – nein, oder ja, sie liebte mich und wollte mich nicht verlieren, sie wollte nur noch mehr als mich, den einen und die anderen auch, warum denn nicht, es tat doch gar nicht weh, zumindest ihr nicht. Mir würde es auch nicht weh tun, wenn ich außer ihr noch hier und da eine Uschi Obermeier hätte, dachte ich, aber Uschi Obermeier tauchte nicht auf, es waren immer nur Männer, die sich um uns herum versammelten, immer nur Gurkes, Krügers oder Krepps, es war wie verhext! Es lag vielleicht auch daran, daß die meisten Frauen Antonia nicht das Wasser reichen konnten, weder was ihren Verstand, noch was ihre Schönheit betraf, und daher wenig Neigung hatten, sich in ihre Nähe zu begeben, um dort blaß auszusehen. Es gab aber auch einen ökonomischen Grund dafür, daß Antonia bei mir blieb. Im ersten Jahr nach unserem Abgang vom Theater hatten wir noch das sogenannte *Arbeitslosengeld* bekommen, das stand uns zu, dafür hatten wir am Theater lange genug die Versicherungsbeiträge gezahlt. Nach einem Jahr aber hätten wir *Arbeitslosenhilfe* beantragen müssen, das bedeutete, daß die Behörde das Recht hatte, sich nach dem Einkommen unserer Eltern zu erkundigen und zu prüfen, ob diese nicht verpflichtet wären, uns zu unterstützen. Das wären sie gewesen, sowohl Antonias als auch meine, aber wir wollten unsere Väter nicht um Geld anbetteln, weder sie noch ich. Ich hatte es allerdings auch nicht nötig. Ich war bereits als Kind mit einem kleinen Anteil an der Familienfirma beteiligt worden, was ich aber erst erfuhr, als ich einundzwanzig und damit volljährig geworden war. Inzwischen hatte sich bereits eine gewisse Summe angesammelt, über die ich nun frei verfügen konnte. Von diesem Geld, so hatten Antonia und ich uns ausgerechnet, würden wir bei sparsamer Lebensweise zwei bis drei Jahre leben können. Kurz: Antonia war, wenn sie nicht *jobben* wollte, auf mich angewiesen. Weder sie noch ich dachten an das Geld als Bindeglied oder *Beziehungskitt*, aber das Gefühl stellt gewöhnlich ganz für sich allein seine Berechnungen an und richtet sich ein bißchen danach, das läßt sich gar nicht vermeiden. Hinzu kam, daß wir nach einer Zeit des rastlosen Umherschweifens in der *linken Szene*, immer auf der Suche nach einer *Gruppe*, in der wir bleiben könnten, immer auf der Suche nach einer neuen *Lebensperspektive*, beides fanden.

Die *Perspektive* war zwar nur eine vorläufige, ersparte uns aber fürs erste alles weitere Nachdenken. Sie bestand darin, ein Studium zu beginnen. Ich hatte allerdings kein Abitur und mußte es auf einer Abendschule nachmachen. Antonia half mir dabei. In diesem Jahr war sie mein Coach, mein Trainer, mein Tutor oder Repetitor. Sie stellte sich ganz – oder doch weitgehend – darauf ein, um hinterher mit mir zusammen zu studieren. Wir wohnten jetzt in Neukölln, in einer Wohnung mit Bad, und Antonia verfolgte mich bis in die Badewanne hinein mit englischen Vokabeln, französischer Grammatik, deutscher Geschichte oder den Lebensdaten Lessings. Nur Mathematik und Physik mußte ich ohne ihren Beistand lernen, davon verstand sie nichts oder wollte sie nichts wissen. Die *Gruppe*, in die wir hineingerieten, und durch die wir endlich einen Ort der festeren Zugehörigkeit oder, wie es damals immer hieß, *Verankerung* in der Linken fanden, kam auf Initiative von Jakob Meßmer zustande. Wir hatten ihn in der *Schwarzen Rose* kennengelernt, einer sogenannten *linken Kneipe* in der Reichenberger Straße. Eines Tages kam er zusammen mit Erwin Fux zu uns und fragte, ob wir nicht gemeinsam einen Arbeitskreis gründen wollten oder einen Zirkel oder wie auch immer, um uns einmal gründlich theoretisch, wenn auch *in letzter Instanz* natürlich praxisorientiert, mit den Schriften der Klassiker auseinanderzusetzen? Nein, nicht mit Goethe, Schiller, Lessing und Konsorten, sondern mit Lenin, Trotzki, Luxemburg und Konsorten. Es gehe ihm, ergänzte Erwin Fux, der ein blondes Oberlippenbärtchen trug und ein bißchen wie ein Kamel aussah, um einen kritischen Blick auf diese Genossen; denn überall sprössen ja gerade jetzt haufenweise sogenannte *Kaderparteien* oder *Parteiansätze* oder auch *Aufbauorganisationen* und *Parteiinitiativen* aus dem Boden und zersplitterten und spalteten die Einheit der Bewegung, und er, Erwin Fux, wolle doch einmal die Grundlagen der Theoretiker, auf die all diese *Parteiinitiativen* sich beriefen, genauer untersuchen, und zwar mit Hilfe der *Marxschen Methode*, also der sogenannten *immanenten Kritik*. Wir könnten ja mal überlegen, ob wir da mitmachen wollten.

Wir brauchten nicht lange zu überlegen. Die beiden waren selbst führende Mitglieder einer solchen *Kaderorganisation*, die ihre Leute sogar *in den Betrieb* schickte, also das Opfer körperlicher Arbeit von ihnen verlangte, damit sie *Kontakt mit der Basis* bekämen. Und daß zwei Mitglieder des *Leitenden Gremiums* einer solchen *Parteiinitiative* einen Zirkel mit uns gründen wollten, dessen Gedanken dann womöglich auch das *Leitende Gremium* erreichen und von dort aus, auf dem Wege über die *Sympathisanten*, in die *Basis* hineingetragen würden, also direkt ins Herz der Arbeiterklasse, das beeindruckte uns viel zu sehr, als daß wir auf den Gedanken gekommen wären, nein zu sagen. Schon am nächsten Tag begannen wir mit der Lektüre einer Schrift des Genossen Lenin, welche sich mit dem sogenannten *Zirkelwesen* beschäftigte, also der Zersplitterung der Bewegung in lauter Gruppen oder Grüppchen, beziehungsweise Kreise oder Zirkel.

Das Studium der Volkswirtschaftslehre – ich durfte auch schon studieren, und zwar mit sogenannter *Kleiner Matrikel*, das heißt, mit der Verpflichtung, das Abitur bald nachzureichen – vor allem aber die Arbeit in unserer Gruppe, füllten Antonia und mich vollkommen aus. Einmal die Woche trafen wir uns mit Jakob Meßmer und Erwin Fux und diskutierten, bis die Funken sprühten. Ja, wirklich, es ist keine Ironie, ich singe hier ein Loblied auf *die Gruppe*! Auf den immer etwas konfusen und sich beim Sprechen verhaspelnden Jakob Meßmer mit seinem Rudi Dutschkeartigen Dreitagebart und den wie ein Kamel aussehenden, aber nicht so denkenden, Erwin Fux, der uns in Geheimnisse der immanenten Kritik einweihte.

Die *immanente Kritik* bestand darin, daß wir eine Schrift so genau lasen, daß uns alle Ungereimtheiten und Widersprüche auffielen, und dann, wiederum in der jeweiligen Schrift selbst, nach dem Standpunkt suchten, von dem aus solche Ungereimtheiten und Widersprüche sich zwingend ergaben. Wie kommt es, daß einer sich auf gerade diese und auf keine andere Weise widerspricht? Was für eine Absicht, was für ein Interesse steckt dahinter? Das waren die Fragen. So fanden wir zum Beispiel heraus, daß es dem Genossen Lenin in seiner Schrift »Über die Naturalsteuer« nicht um die Befreiung *der Arbeiter* ging, sondern um die *Befreiung der Arbeit*, also darum, daß besser und fleißiger gearbeitet wurde – und das war doch ein Unterschied, oder? Wir sahen – und es war eine Freude und ein Erschrecken –, wie ein Idol nach dem anderen vor unserem nüchternen und doch mit Eifer und Begeisterung prüfenden Blick vom Sockel stürzte und sich als Vertreter eines im Kern diktatorischen und um die wirkliche Emanzipation des Menschen unbekümmerten Denkens selbst entlarvte. Ja, Selbstentlarvung – daß wir die Schreiber durch ihre eigenen Worte des Irrtums, der Täuschung oder der arglistigen Selbsttäuschung überführten, das war das *Immanente* an der Kritik, und ich kann sagen, daß ich diese Methode bald ganz ordentlich beherrschte. Sie lag mir. Sie machte mir Spaß. Ich blühte dabei auf. Und so langsam

gewann ich mein durch den Abgang vom Theater reichlich heruntergekommenes Selbstbewußtsein, das ja immer und vor allem auch ein *Selbstwertbewußtsein* ist, zurück.
Der Mensch wird mehr geliebt, wenn er sich selbst liebt, vorausgesetzt, er übertreibt es nicht damit. Blüht er auf, dann schauen auch die anderen gern auf ihn, verkümmert er, dann wenden sie sich von ihm ab oder trampeln gleichgültig auf ihm herum. In dieser Zeit, in der ich mit meinem Selbstbewußtsein auch Antonia gegenüber etwas aufholte, waren wir wieder ein glückliches und von den anderen um ihr Glück beneidetes Paar.
Und es ging noch weiter! An der Universität, in einem Seminar zur *Politischen Ökonomie* –
doch halt! Ist es zu glauben? Wir hatten mit einem Studium der *Volkswirtschaftslehre* begonnen, ausgerechnet wir, die ehemaligen Schauspieler. Nicht Theaterwissenschaft, nicht Germanistik, sondern Ökonomie. Was war der Grund dafür? Interesse daran, woher die Wirtschaftskrisen kommen und wie man Konjunkturen besser steuern kann? Klar, *irgendwo* natürlich auch ein bißchen, man kann sich ja für alles interessieren. Und hatte Marx nicht auch »Das Kapital« geschrieben? Aber Germanistik wäre uns lieber gewesen. Warum dann also Ökonomie? Nun, weil die Studenten der *Roten Zelle Germanistik* (Rotzeg) mit den strammen Maoisten der *Kommunistischen Partei/Aufbauorganisation* zusammengingen und wir den Maoisten *kritisch gegenüberstanden.* Die Studenten der *Roten Zelle Ökonomie* (Rotzök) dagegen waren mit der für Betriebsdemokratie und Arbeiterselbstverwaltung *kämpfende* Kaderorganisation mit Namen *Proletarische Linke/Parteiinitiative* verbunden, zu derem Leitenden Gremium auch Jakob Meßmer und Erwin Fux gehörten. Ja, so war's: Wir

wählten unser Studienfach nach der linken Studentenorganisation am jeweiligen Fachbereich aus. Die Politik oder, wenn man so will, politische Schwärmerei, war das Primäre, das Studienfach sekundär. Wir glaubten eben wirklich an *die Revolution.*

Im Seminar über *Politische Ökonomie* stießen wir auf einige Mitstudenten, die sich erfreulicherweise für unsere Methode der immanenten Kritik interessierten. Mit ihnen gründeten wir eine weitere Gruppe, die sich regelmäßig traf und diskutierte, und während sich die erste mit Jakob Meßmer und Erwin Fux aus irgendwelchen Gründen auflöste, gewann die neue an Profil und brachte es mit Fleiß und Eifer sogar dahin, daß sie sich berufen fühlte, eine Zeitschrift zu gründen. Das Blatt hieß »Schwarze Noten – Zur Theorie der Linken Bewegung«, erschien vierteljährlich und machte das, was wir so lange im Verborgenen betrieben hatten, öffentlich: Es stieß mit Hilfe der gewissenhaft herausgearbeiteten Selbstentlarvung, Lenin, Trotzki, Rosa Luxemburg und wie sie alle hießen, vom Sockel. Das war durchaus verdienstvoll, obwohl man sich natürlich hätte fragen können, warum man diese Leute überhaupt vom Sockel stoßen mußte, anstatt sie einfach da oben stehen zu lassen. Die Gruppe dachte, die Gruppe schrieb, die Gruppe publizierte, und so vergingen Tage, Monate, Jahre. Nein – es war ein Jahr. Genau ein Jahr, nachdem die erste Nummer unserer Zeitschrift herausgekommen war, gab es erneut einen Riß zwischen Antonia und mir. War ich schuld? Nun, jedenfalls nicht ganz unschuldig.

Man sollte es nicht für möglich halten, aber zu unserer Zeitschriftengruppe gehörte eine Frau, ich meine, außer Antonia noch eine zweite. Sie hieß Hanna Großmann, war von stämmiger Gestalt, hatte rötliches, hennagefärbtes Haar, eine träge Art, sich zu bewegen, eine nölige Stimme und ein kicherndes Lachen, das mich irgendwie anzog. Ihr Charme war ein Dienstmädchencharme, zugleich kumpelhaft und verschämt, und da ich in meiner Kindheit gern auf den Schößen diverser Dienstmädchen gesessen und ihnen auch mal hierhin und dorthin gefaßt hatte und mich von ihnen hatte hierhin und dorthin fassen lassen, war ich, gleichsam aus Treue zu den Sexualträumen meiner Jugend, nicht ganz unempfänglich für Hanna Großmanns Charme. Sie war, nebenbei bemerkt, das unzuverlässige Element in unserer Gruppe. Sie kam immer zu spät, vergaß dauernd irgend etwas, brachte hartnäckig Argumente hervor, die wir schon Monate zuvor endgültig erledigt hatten, und trug zum theoretischen Teil unserer Zusammenkünfte nicht allzuviel bei. Genaugenommen gar nichts. Aber sie tippte hervorragend, und da die Manuskripte, bevor sie in den Druck gingen, oft in letzter Sekunde druckreif getippt werden mußten, war sie unentbehrlich. Sie hatte, was mich zugleich ärgerte und reizte, einen Hang zum Exotischen, möglicherweise mit masochistischen Einsprengseln. Ihre Liebhaber waren in der Regel Ausländer, meist Araber oder Schwarze. (Ich erwähne das aus Wahrheitsliebe, nicht aus Frauen- oder Ausländerfeindlichkeit und schon gar nicht aus Araberfeindlichkeit). Sie hatte auch eine Psychoanalyse gemacht und mit ihrem Analytiker geschlafen. Für sie sei es Liebe gewesen, aber er hätte immer nur von *Übertragung* gesprochen. Eigentlich liebte sie ihren Vater. Sie hätte davon gar nichts gewußt, aber das sei es ja gerade, habe der Analytiker gesagt. Übrigens hatte sie Absenzen. Manchmal saß sie eine oder zwei Minuten einfach nur da, starrte ins Leere und wußte, wenn sie erwachte, nicht

mehr, wo sie war und was sie auf dieser Welt zu suchen hatte.
Von Antonia abgesehen, war sie die einzige Frau, die mich so einigermaßen auf der Höhe meiner Möglichkeiten kannte. Ich hatte ja nur die Gruppe, um ein wenig aufzublühen. Außerhalb der streng am Text orientierten Diskussionen unserer immanenten Kritik war ich meist stumm oder sprachgehemmt, und wenn ich *in der freien Wildbahn*, wie ich es nannte, also in der Kneipe, Pizzeria oder wo immer wir uns mit anderen Genossen trafen, etwas sagen wollte, schoß Antonia mit der ihr eigenen Behendigkeit dazwischen und verkündete: »Ja, also der Ben will sagen, daß ...« und dann sagte sie, was ich hatte sagen wollen und war damit natürlich auch diejenige, die es gedacht hatte. Sie wollte mir helfen, damit ich nicht so lange herumstottern mußte, aber wahrscheinlich langweilte sie sich auch dabei, jedenfalls stahl sie mir regelmäßig das Wort aus dem Mund. Anstatt nun aber – wie jede halbwegs emanzipierte Frau es inzwischen längst gelernt hatte – dagegen aufzubegehren und »Nun laß mich doch mal ausreden!« zu sagen, verstummte ich und dachte, es hat sowieso keinen Zweck, Antonia kann eben besser erzählen als ich, nicht nur ihre, sondern auch meine Geschichten. Wenn wir hinterher darüber sprachen, bedauerte Antonia ihre *imperialistischen Übergriffe* auf meine Rede, und wir verabredeten gewisse Signale, die ich in Zukunft aussenden sollte, um sie daran zu erinnern, daß sie mich nicht immer unterbrechen und interpretieren sollte. Aber wenn es dann wieder soweit war, übersah sie die Signale und stahl mir erneut das Wort aus dem Mund. Selbst als ich dazu ermächtigt wurde, sie unter dem Tisch gegen das Bein zu treten, um ihre Übergriffe zu stoppen, reagierte sie darauf so wenig wie auf alle

anderen Zeichen und wunderte sich zu Hause über die vielen blauen Flecken.
Wenn es nun aber *in der Gruppe*, bei der strengen Arbeit an einem vorgegebenen Text, darum ging, etwas herauszufinden und diesen Fund gedanklich zu formulieren, konnte Antonia in der Regel nicht vorausahnen, was ich sagen wollte. So mußte sie mich wohl oder übel ausreden lassen, auch wenn es ihr manchmal nicht schnell genug ging. Auf diese Weise gelang es mir, in unserer Gruppe gewisse Qualitäten oder Talente zu zeigen, die für andere Leute verborgen bleiben mußten, daher war Hanna Großmann neben Antonia die einzige Frau, die meine Fähigkeiten kannte. Auch deshalb verliebte ich mich in sie.
Antonia sah natürlich, daß ich ein Auge auf Hanna geworfen hatte und behauptete nun, der Wunsch oder, wie es damals hieß, *das Bedürfnis,* miteinander zu schlafen, wäre auf Hannas Seite genauso stark wie auf meiner. Ich fragte, woher sie das wüßte, und wollte es nicht glauben, aber sie sagte, sie hätte dafür einen sechsten Sinn, und von ihr aus könnte ich ruhig mal mit Hanna schlafen. »Warum schläfst du nicht mit ihr«, sagte sie immer wieder, und es wurde mir schon lästig, so sehr in Hannas Arme getrieben zu werden. Es machte mich auch mißtrauisch. Was hatte Antonia davon? Sie will mir die Freiheit geben, damit sie sie auch für sich beanspruchen kann, dachte ich, sie will, daß ich mit Hanna schlafe, damit sie dann mit irgendeinem aus der Gruppe schlafen kann, mit Olaf oder mit Tom, oder irgend jemand, der zu uns kommt, um mit uns zu diskutieren und Erfahrungen auszutauschen oder einen Artikel anzubieten.
So war es nämlich: Aus aller Herren Länder, Hamburg, Hessen, Nordrhein-Westfalen, Baden-Württemberg und sogar

Bayern kamen Genossen, denen unsere Zeitschrift in die Hände gefallen war, und wollten wissen, wer das *Kollektiv* sei, das diese merkwürdig spröden, für den theoretischen Kopf aber doch irgendwie aufregenden und befreienden Texte verfaßte. Und die da kamen, waren fast ausnahmslos Männer. Die saßen dann mit uns zusammen, ließen ihre Blicke in die Runde schweifen und sahen eine etwas träge, oft abwesend wirkende, stämmige Person mit hennagefärbten Haaren – und eine lebendige, geistsprühende, etwas schwärmerisch daherredende Frau mit einem gar nicht mehr so puppenhaften Gesicht, etwas hervorstehenden Augen, und einer Figur, die sich sehen lassen konnte. Sie bemerkten dann zwar, daß diese Frau *in festen Händen* war, aber doch in den Händen eines etwas mühsam formulierenden Mannes, der nur dasaß und lächelte und rauchte und immer ein wenig gehemmt oder *verklemmt* wirkte neben dieser sprechenden Schönheit. Die Genossen hatten dann wohl unwillkürlich das Gefühl, daß dieser verklemmt lächelnde Mann der behende formulierenden Schönheit irgendwie nicht das Wasser reichen könne, und deswegen kam es schon mal vor, daß einer, nachdem er uns *als Gruppe* besucht hatte, auch noch die Lust verspürte, ein Einzelgespräch mit Antonia zu verabreden, abends in einer Kneipe, beim Bier oder beim Wein. Antonia hatte auch Lust dazu. Und was war daran verwerflich? Wenn sie es aber tat, dann machte ich ihr eine fürchterliche Szene, verleidete ihr die Sache und *machte alles kaputt.*

Ich mußte mich also hüten, mit Hanna Großmann zu schlafen, damit aus unserer von vielen immer noch beneideten *symbiotischen Zweierbeziehung* nicht unversehens eine *offene Beziehung* würde. Ich hätte es freilich auch *nicht gebracht*, nach einer Gruppensitzung mein Lederjäckchen anzuziehen,

meinen Arm um die vielleicht gerade wieder etwas abwesende Hanna zu legen und zu rufen: »Also dann bis morgen, Antonia, ich schlafe heute nacht mal mit Hanna.« Nein, dazu war ich nicht imstande. Ein Manne Krüger hätte den Mut dazu gehabt, ich war kein Manne Krüger. Es kam dann aber doch soweit, daß ich mit Hanna schlief. Ein, wie ich gleich im voraus ankündigen möchte, etwas unrühmliches Kapitel.
Es war so: Antonia mußte ins Krankenhaus, in eine Privatklinik, um eine etwas delikate Operation vornehmen zu lassen. Ich weiß nicht, ob die Sache notwendig war oder nicht, ich meine, ob Antonia eine Fehlgeburt hatte und nun die Folgen davon auskurieren mußte oder ob es sich um eine richtige Abtreibung handelte. Ich wundere mich darüber, aber ich weiß es wirklich nicht. Habe ich es vergessen? Oder *verdrängt*? Oder haben wir nicht darüber gesprochen und es schon damals verdrängt? Nun, wie auch immer, sie lag im Krankenhaus, die Gruppe tagte ohne sie, ich lief, da ich ausnahmsweise einmal meine Gedanken entwickeln konnte, ohne von Antonia in den Schatten gestellt zu werden, zu höchster Form auf, und anschließend legte ich meinen Arm um Hanna und sagte, komm, ich fahre dich nach Hause. Und dann schliefen wir miteinander.
Am nächsten Tag ging ich ins Krankenhaus, erzählte Antonia alles von vorne bis hinten, und fing an, darüber zu räsonnieren, warum ich sie, also Antonia, nicht mehr attraktiv fände. Sie sei eben mehr *wie eine Schwester* für mich, meistens wie eine große Schwester, manchmal aber auch wie eine kleine und – naja. Sie hörte sich das alles sehr gefaßt an, bekam wieder diesen glänzenden Ausdruck in den Augen, den ich schon aus unserer Anfangszeit kannte, und sagte, sie fände es gut, daß ich mich sexuell von ihr emanzipierte. Meine Warn-

glocken fingen an zu läuten und riefen: Das zahlt sie dir heim! Das zahlt sie dir heim! – aber es war schon zu spät.
Zwei Tage danach wurde sie aus dem Krankenhaus entlassen. Ich holte sie ab. Hanna Großmann saß auch im Wagen. Antonia merkte, daß ich hin- und hergerissen war, einerseits wollte ich mit ihr zusammensein, andererseits noch mal mit Hanna schlafen, und da sie vom Entweder-Oder wenig hielt, sondern das Sowohl-Als-auch bevorzugte, schlug sie vor, Hanna möge bei uns schlafen. Wir gingen zu dritt ins Bett, streichelten einander, und am Ende schlief ich mit Hanna, während Antonia danebenlag und ohnehin mit niemandem schlafen konnte, weil alles in ihrem Unterleib noch wund war von der Operation.
Sie hatte sich aber ähnlich übernommen, wie ich mich damals mit Gurke Gurcik. Nur daß sie, anstatt aufzustehen und in einen Pornoschuppen zu gehen, neben uns lag und weinte, allerdings so leise, daß ich es erst merkte, als wir unseren *Absturz oder besser: Abschwung* schon hinter uns hatten.
In jener Nacht, die sich genausowenig wiederholte wie die Szene mit Gernot Gurcik, wurde mir klar, daß Antonia mit der *sexuellen Revolution* besser zurechtkam, wenn sie als Frau von mehreren Männern umschwärmt war, als wenn sie ihren Mann mit anderen Frauen teilen sollte. Ich konnte das gut verstehen, aber bei mir war es umgekehrt.

Was ging seit dieser Nacht in Antonia vor? War sie verletzt, beschämt, beleidigt, haßerfüllt? Sann sie auf Rache und plante insgeheim das Ende der Beziehung? Das erste Anzeichen dafür, daß sie auf Abstand zu mir ging, war, daß sie *einen Essay schrieb*.
Ich muß, um die Bedeutung dieses Aktes – Antonia schreibt

ihren ersten Essay – hinreichend zu betonen, etwas über die Art und Weise sagen, in der wir bis dahin die Artikel für die *Schwarzen Noten* verfaßt hatten. Es waren, darauf waren wir alle stolz, *Kollektivprodukte*. Wir trafen uns, diskutierten und schrieben gemeinsam. Jeder war *nach seinen Fähigkeiten* daran beteiligt und erntete *nach seinem Bedürfnis* den Beifall oder die Anerkennung. Das war die offizielle Version, an die wir, weil sie so schön war, auch glaubten. In Wirklichkeit schrieben Antonia und ich das meiste, ließen von Andreas und Olaf noch ein paar Absätze hinzufügen und hatten nichts dagegen, wenn Tom und Hanna technische Hilfe leisteten. Hanna tippte, Tom hatte den Vertrieb, war presserechtlich verantwortlich und ein straffer Organisator. Wir nannten ihn liebevoll den *Stalin der Gruppe*.
Was Antonia und mich betraf, so formulierten wir tatsächlich vieles zusammen oder bearbeiteten wechselseitig die getrennt geschriebenen Passagen so lange, bis niemand mehr zu sagen wußte, was von wem war. Die Klammer, die uns verband, war die immanente Kritik. Solange wir uns darauf beschränkten, konnte ich mit Antonia mithalten. Erst als sie die Fesseln der reinen Textkritik sprengte und sich aufs freie Feld des *denkanstoßenden Drauflosbehauptens* begab, das ja für den Essay typisch ist, erst da preschte sie mir und allen anderen davon. Ich ahnte das natürlich, als sie den Essay schrieb und mir darin gerade noch Raum für eine längere Fußnote ließ. Sechs Jahre hatten wir alles zusammen gemacht, auf einmal dachte und schrieb sie allein.
Offiziell war ihr Essay, wie alle anderen, noch ein Gruppenprodukt. Aber jeder wußte, daß jetzt eine neue Ära angebrochen war. Und von nun an gab es nur noch einen Star: Antonia.

EIN MITTSOMMERNACHTSALPTRAUM

Im Frühjahr erschien die Nummer mit ihrem Essay, im Sommer machten wir unsere Finnlandreise.

Es war Andreas, der die Idee dazu gehabt hatte. Ein kleiner, stiller, zurückhaltender Mann, der Informatik studierte und einen unbeirrbar nüchternen Verstand besaß. Er war nicht ohne Phantasie, aber jeder Schwärmerei abhold, wenn sie einer logischen Überprüfung nicht standhielt, und welche Schwärmerei tut das schon. Er hatte blonde, lockige Haare, eine etwas weichliche Figur, einen watscheligen Gang und lispelte beim Sprechen.

Er war es auch, der die Sache organisierte. Er mietete das Ferienhaus, arbeitete die Reiseroute aus und kümmerte sich um die *Logistik*. Das Besondere an dieser Reise war, daß wir sechzehn Leute waren. Sechzehn *Genossinnen und Genossen*, alle miteinander bekannt oder befreundet, in einem finnischen Gutshaus mit seinen zu Schlafgemächern ausgebauten Ställen, einem See und einer Sauna, an dem und in der wir wie die Faune nackt herumsprangen. War ich prüde? Ja. Aber natürlich war ich auch lüstern. Ich war prüde und lüstern zugleich, und ich glaube, die anderen waren es auch, es sei denn, sie waren wirklich nur prüde wie Karin, Andreas' Freundin, die sich von allen Verführungen fernhielt, oder nur lüstern wie Regina, genannt Gina, vor der ich Angst hatte, weil sie sich mir so offen anbot. »Sei doch mal mutig«, sagte sie, »wovor hast du denn Angst?« Ich hatte Angst, weil ich dachte, wenn ich mit ihr schlafe, schläft Antonia mit *allen* anderen

Männern, und das wollte ich nicht, wenigstens wollte ich ihr nicht das Recht dazu geben.
Gina war schlank und hochgewachsen, hatte einen kleinen straffen Busen und langes, hübsch gewelltes Haar, dessen Spitzen ihren Hintern küßten. Ihr Mund war groß und breit, und ihre Augen sprühten vor Lebensfreude. Sie konnte Gitarre spielen und Lieder dazu singen, sie trat damit sogar öffentlich auf, im *Go-in* oder in ähnlichen Lokalen mit Musik. Ach, warum habe ich nicht mit ihr geschlafen!? Aber abgesehen von der Furcht, Antonia würde das zum Anlaß für eigene Seitensprünge nehmen, hatte ich auch Angst, bei Gina zu versagen. Vielleicht *kriege ich keinen hoch*, dachte ich, was dann? Ich war ja, seit ich mich in Antonia verliebt hatte, nicht mehr der junge Mann mit einigem sexuellem Selbstbewußtsein, der ich vorher gewesen war, sondern hatte ein Über-Ich im Bett, das dauernd versuchte, mich klein zu machen: Jan-Peter Gruhl. Der saß jetzt in meinem Kopf und sagte: Versuch' gar nicht erst, mit Gina zu schlafen, sonst blamierst du dich. Und zwanzig Liegestütze mit einem Arm schaffst du sowieso nicht!
Jan-Peters Gruhls Stellvertreter auf finnischem Boden hieß Kostja Kolnikow, genannt »Ras«. Er war einen Kopf größer als ich, hatte langes blondes Haar, eine spitze Nase und ein Dauerlächeln auf den Lippen. Seine Stimme war leise und einschmeichelnd, und er kam mit seinem *insinuanten Wesen*, wie Antonia es nannte, bei den Frauen gut an. Bereits auf der Fähre, bei der Überfahrt von Schweden nach Finnland, hatte er sich mit Gina darauf verständigt, daß sie in einem Zimmer schlafen würden. Es gab in dem Ferienhaus acht Schlafzimmer, von denen sechs durch Paare belegt sein würden. Die übrigen beiden waren für die vier *Singles* gedacht, für Gina,

Ras, sowie zwei weitere Männer, Olaf, der zu unserer Gruppe gehörte, und Werner Bollmann, einen weißblonden, albinoartigen Kerl, der so aussah, als ob er niemals etwas anderes würde haben können als Liebeskummer. Wenn Ras nicht mit Olaf oder dem Albino das Zimmer teilen wollte, dann mußte er sich schon an Gina heranmachen. Ich stand in der Nähe der beiden auf dem Oberdeck, als sie sich einigten, Ras hatte sein einschmeichelndes Lächeln aufgesetzt, Gina lachte mit breitem Mund, und ich dachte, Scheiße, ich wünschte, ich wäre ein *Single* und hätte alle Freiheiten. Ras hatte übrigens einen Photoapparat, eine *Leica* oder wie die Dinger hießen, und lauerte schon auf der Fähre allen Mitreisenden auf, um sie auf seinen Film zu bannen. Ich weiß nicht, ob er zu dem Zeitpunkt schon dasselbe dachte wie ich, ich weiß aber, daß ich es dachte: Wenn wir erstmal in unserer Sauna am See sind und dort nackt herumspringen, dann steht er todsicher mit seinem Photoapparat da und fängt uns alle ein. Ich zettelte schon auf der Fähre eine Diskussion darüber an, natürlich nicht über die zu erwartenden Aktphotos, sondern über das Photographieren überhaupt, darüber, daß man sich *kein Bildnis machen* solle, über den vergeblichen Wunsch, alles festzuhalten, über das *Recht am eigenen Bild* und so weiter, aber die anderen interessierten sich nicht dafür, sei es, weil sie noch nicht voraussahen, was auf sie zukam, sei es, weil der Gedanke, nackt photographiert zu werden und vor allem ihre Freundinnen nackt photographieren zu lassen, ihnen nichts ausmachte. Es kam natürlich genauso, wie ich es vorausgesehen hatte. Wenn Ras heute noch lebt und nicht alle seine Filme einer Feuersbrunst zum Opfer gefallen sind, dann sitzt er jetzt vermutlich vor einer Wand mit Aktphotos und geilt sich daran auf. Ich habe immer noch ein Photo von Antonia:

Sie steht halb gebeugt im seichten Wasser eines finnischen Sees, benetzt sich die schlanken Oberschenkel und zeigt ihren prächtigen Busen.
Mein besonderer Affekt gegen das Aktphotounwesen hing wahrscheinlich damit zusammen, daß meine eigene Sucht nach Bildern von nackten Frauen so gewaltig war und ich mich immer noch wie ein Quartalsvoyeur alle drei Monate in ein Pornokino schlich, um ein bißchen zu spannen oder zu entspannen, je nachdem. Leider hatte ich dabei immer ein schlechtes Gewissen, aber vielleicht hing die Lust ja mit dem schlechten Gewissen zusammen. Ich halte es jedoch für möglich, daß es ein Urbedürfnis des Mannes ist, Photos und Filme von nackten Frauen zu betrachten, von *schönen nackten Frauen* natürlich, und daß die Photographie allein zu diesem Zweck erfunden wurde. Alle anderen Photos sind, so könnte man vermuten, nur Perversionen oder Abirrungen von diesem einen wunderbaren Urmotiv. Seltsamerweise jedoch wollte ich zwar alle Frauen nackt photographiert oder gefilmt sehen, aber Antonia nicht. Oder sie vielleicht auch, aber die anderen sollten sie nicht so sehen. Umso größer war für mich der Schock, als ich, bald nachdem wir ein Paar geworden waren, mit Antonia in London war und am Picadilly Circus die Standphotos im Schaukasten eines, nun, nicht gerade Porno-, aber doch Nudistenkinos betrachtete und zu meinem unaussprechlichen Entsetzen Antonia sah, wie sie nackt herumhüpfte, Volleyball spielte (Volleyball! Ausgerechnet sie!) oder in irgendwelchen Dünen saß und sich die Haare kämmte. Es waren die Dünen von Sylt, wie ich erfuhr, und sie hatte sich *wirklich nichts dabei gedacht*, in diesem Film mitzuwirken. *Wirklich nichts dabei gedacht*! Ich wäre vor Scham und Wut fast aus der Haut gefahren, ich hätte mich von der Höhe der

Coca-Cola-Reklame oder der Eros-Statue herabstürzen können, um die Bilder wieder aus meinem Kopf herauszukriegen.
»Nichts dabei gedacht?« schrie ich. »Was glaubst du, warum solche Filme gedreht werden? Um für das freie Leben im Nudistencamp zu werben? Geh doch mal rein und schau dir an, was passiert, wenn du da nackt über die Leinwand springst und deine Titten auf und ab hüpfen läßt! Da sitzen deine Verehrer, verstecken ihre Hand unter dem Mantel und holen sich im Gleichtakt einen runter!«
»Na und, laß sie doch.«
»Hast du denn überhaupt kein *Schamgefühl*?«
»Was hab ich denn gemacht? Nur Volleyball gespielt und mir das Haar gekämmt. Und dafür habe ich sogar 600 Mark gekriegt.«
»600 Mark! Für lausige 600 Mark machst du dich zum Lustobjekt dieser Männer?«
»Ich möchte wissen, warum du dich so aufregst. Kein vernünftiger Mensch geht in so ein Kino. Oder würdest du dir einen solchen Film anschauen?«
Am meisten Angst hatte ich, daß Ras sich an Antonia heranmachen und mit ihr schlafen würde, während ich gerade mal wieder Angst vor Gina hatte. Vielleicht hat er es auch getan, ich weiß es nicht, ich konnte ja nicht die ganze Zeit danebenstehen und aufpassen. Ich fuhr bisweilen nackt im Ruderboot mit einer der anderen Frauen auf dem See herum, mit Wiltrud oder Ingrid, und küßte ihre Mösen. Das zählte irgendwie nicht als Untreue, machte aber trotzdem Spaß, wenn man mal davon absah, daß so etwas in einem Ruderboot reichlich unbequem war.
Derjenige, mit dem Antonia etwas anfing, war dann nicht Ras Kolnikow, sondern Andreas, ausgerechnet der kleine An-

dreas mit dem weichlichen Körper und dem watscheligen Gang. Ich konnte es zunächst nicht glauben, ich hatte auch den Anfang gar nicht mitgekriegt, aber wahrscheinlich hatte Antonia ihn aufgefordert, doch mal mutig zu sein und keine Angst zu haben. Irgend etwas müssen die beiden dann auch miteinander gemacht haben, ich glaube zwar, sie haben sich nur geküßt und ein bißchen gestreichelt, aber sicher war man ja nie. Jedenfalls bat Andreas einen Tag später um eine ernsthafte Unterredung mit Antonia, unter vier Augen natürlich, und fragte sie, was er nun machen solle, Karin und er hätten nämlich beschlossen zu heiraten, und nun sei doch alles wieder offen! Er brachte Antonia damit mächtig in Verlegenheit, weil sie zwar seinen mathematischen Verstand und vielleicht auch seinen watscheligen Gang schätzte, aber doch nicht unbedingt darauf versessen war, ihn zu heiraten. In ihrer Not fragte sie mich, ob ich ihr nicht ein bißchen helfen könne.
»Ich? Und wie?«
»Indem du dich an Karin heranmachst.«
»Kann es nicht irgendeine andere sein? Gina oder Ingrid?«
»Hör zu: Wenn ich Andreas küsse und du Karin, dann sind die beiden quitt und brauchen ihre Heiratspläne nicht aufzugeben.«
Ich weiß nicht, warum sie das Spiel noch auf die Spitze treiben wollte, bevor sie es beendete, anstatt es gleich zu beenden. Aber vielleicht wollte sie einfach noch mal mit Andreas herumschmusen, ohne vor Karin oder mir Angst haben zu müssen.
Karin war eine kleine, zugleich schüchterne und energische Person, deren schweres Handicap in Finnland war, daß sie zwei unterschiedlich große Brüste hatte. Die linke war klein, die rechte groß. Oder umgekehrt. Ich fand das nicht weiter

schlimm, doch Karin litt darunter und wollte sich am Anfang überhaupt nicht unbekleidet sehen lassen. Aber der seltsame Mittsommernachtszauber, der über unserem Haus und dem See und der Sauna lag, siegte dann auch über ihre Prüderie. Wahrscheinlich hat Kostja Kolnikow auch Aktphotos von einer Frau mit zwei unterschiedlich großen Brüsten an seiner Wand.

Ich sah nicht ein, warum ich mich, während Antonia mit Andreas herumturtelte, mit Karin abmühen sollte, anstatt ein bißchen zu Gina zu gehen und meine Angst zu überwinden. Aber ich konnte Antonia nichts abschlagen, das war schon immer so. Hinzu kam, daß ich mich ihr zu dieser Zeit sexuell überlegen fühlte. Es gibt ja so etwas, wie eine subkutane sexuelle Rangliste, nach der man die Menschen abschätzt, ob man will oder nicht. Wenn Brigitte Bardot, Marylin Monroe oder Jane Birkin gerade nicht da waren, dann übernahm eben eine Regina, Wiltrud oder Ingrid die Rolle der Schönheitskönigin. Entsprechend wurde vielleicht ein Kostja Kolnikow die Nummer eins bei den Männern, während ein ewig unglücklich verliebt wirkender Albino namens Werner Bollmann möglicherweise den letzten Platz einnahm. Meine Position unter den anwesenden Männern sah ich ziemlich genau auf Platz zwei, Antonia auf der Rangliste der Frauen so ungefähr bei vier (von sieben). Daß ich sie damit gewaltig unter- und mich gewaltig überschätzte, sollte mir später bitter beigebracht werden – *I learned it the hard way*, wie der Engländer sagt –, aber damals dachte ich eben so. Karin rangierte an vorletzter Stelle, die letzte hatte bereits Hanna Großmann eingenommen, mit der von meiner Seite aus *nichts mehr lief*.

Wenn ein Mann mit Ranglistenposition zwei sich um eine

Frau bemüht, die auf Platz sechs oder sieben steht, dann sollte sie sich eigentlich sehr geschmeichelt fühlen und bei jeder noch so leichten Berührung in Jubel und Entzücken ausbrechen. Merkwürdigerweise verhielt sich Karin etwas außerhalb der Norm. Als wir zu viert in unserem Schlafstall saßen und Rotwein tranken, war sie überhaupt nicht darauf aus, von mir geküßt und an ihre ungleichen Brüste gefaßt zu werden, und da bei uns nicht die rechte Stimmung aufkommen wollte, konnten auch Andreas und Antonia nicht da weitermachen, wo sie das letzte Mal aufgehört hatten, so daß der *flotte Vierer*, oder was immer Antonia hatte anzetteln und *voll ausleben* wollen, gründlich danebenging. Irgendwann gaben wir ernüchtert auf und sagten einander gute Nacht. Da lagen Antonia und ich wieder allein in unserer engen Bretterbude, alles fühlte sich wund und wehe an, und ich massierte meine Gesichtsmuskeln, um das verführerische Grinsen, das ich die ganze Zeit über aufgesetzt hatte, wieder loszuwerden. Am liebsten hätte ich mir die ganze Maske vom Gesicht gerissen, aber das Gesicht war die Maske.

Am nächsten Tag liehen Antonia und ich uns ein Zelt, setzten uns ins Auto und flohen in die Weite der finnischen Wälder. Wir hatten eine Landkarte, auf der jedes Haus eingezeichnet war, und suchten uns zum Zelten einen See, an dem es überhaupt kein Haus gab, nur Natur. Wir kamen allerdings an einem Stapel Baumstämme vorbei, der uns verriet, daß ab und zu ein Holzfäller durch die Gegend kommen mußte. Ich hatte kurz zuvor einen Hollywoodfilm gesehen, in dem ein paar Männer, die zum Angeln in die Wildnis fuhren, von zwei Holzfällern teils umgebracht, teils vergewaltigt wurden, und meine Vorstellung vom Holzfäller war seitdem die eines hageren, schwarzbärtigen Halbirren, der Männer nackt an einen

Baum bindet und sie dann bespringt. Als wir das Zelt aufgebaut hatten, nahm ich heimlich einen Hammer aus dem Auto und verstaute ihn unter meiner Luftmatratze. Dann setzte ich mich mit Antonia ans Ufer des Sees, verzehrte mit ihr ein Picknick, rauchte ein paar Zigaretten und schaute dem Sonnenuntergang zu. Amseln sangen, Käuzchen riefen, Zweige knackten. Es war sehr romantisch, und vielleicht ist es an dieser Stelle einmal angebracht, davon zu sprechen, daß es in diesem Sommer so gut wie keine Mücken in Finnland gab. Als es dunkel geworden war, verkrochen wir uns im Zelt und zogen den Reißverschluß zu. Dann legten wir uns schlafen. Nach ungefähr einer Stunde sagte Antonia: »Du –?« Und ich sagte: »Mmh?« – Und sie sagte: »Hörst du was?« – Und ich sagte: »Nein, was?« – Und sie sagte: »Ich glaube, da draußen ist ein Bär.«
Ich war ganz sicher, daß es nicht ein Bär war, sondern der Holzfäller. Ich machte den Reißverschluß auf, nahm den Hammer unter meiner Luftmatratze hervor und warf mich dem Bären wie dem Holzfäller entgegen, aber sie hatten sich schon alle beide aus dem Staub gemacht. Trotzdem schliefen wir die ganze Nacht nicht, sondern philosophierten über Angst und Mut und andere Urthemen der Menschheit, bis endlich der Morgen graute und wir das Zelt wieder abbauen konnten. Auf dem Weg vom einsamen Seeufer zur Straße fuhren wir auf einen bemoosten Findling, und ich mußte stundenlang mit dem Wagenheber herumhantieren, um den Wagen zentimeterweise über den Fels, auf den er aufgelaufen war, hinüberzuhieven. Kaum hatten wir die Straße erreicht, schleuderte uns ein entgegenkommendes Auto einen Stein gegen die Scheibe, so daß sie in tausend dicke Sicherheitsglasstückchen zersprang, und als wir, anstatt wie angekündigt,

nach drei Tagen, schon am nächsten Tag zu unserem, wenn nicht moralisch, so doch wenigstens physisch sicheren Ferienhaus zurückkamen, hatten wir das Gefühl, für unsere Sünden so einigermaßen gebüßt zu haben.
Für den Rest des Urlaubs war ich von aller Lust am erotischen Experiment befreit, während der harte Kern der Truppe – allen voran Kostja Kolnikow – am Vorabend der Abreise noch einem letzten Höhepunkt zustrebte. Mir klingt noch heute das Höllengelächter in den Ohren, das mich empfing, als ich nachts in die Küche kam, um mir aus dem Kühlschrank etwas zu trinken zu holen. Sechs oder sieben Personen waren dort zugange. Alle waren mehr oder weniger nackt, hatten ihre eigenen oder fremde Geschlechtsteile in der Hand, im Mund oder sonstwo und posierten so für eine Serie von Gruppenphotos bzw. Gruppensexphotos, die Ras Kolnikow mit seiner fachmännisch auf ein Stativ geschraubten Leica machte. Ich war angewidert. Ich war auch neidisch, weil mir selbst der Mut zur Teilnahme an einem solchen Satyrspiel gefehlt hätte (ich war eben immer noch der alte und noch nicht der neue Mensch), aber ich glaube, ich war doch in erster Linie angewidert. Andererseits hätte ich natürlich die Photos gern mal gesehen, aber sie mußten ja sowieso erst entwickelt und abgezogen werden. Ich holte mir eine Cola aus dem Kühlschrank, verließ unter dem höhnischem Gelächter des Photographen und seiner Modelle die Küche und war froh, daß der ganze Spuk am nächsten Tag ein Ende haben würde.
Und wirklich, kaum hatten wir den kleinen Ort in der Nähe von Savonlinna verlassen, war alles wieder normal, und niemand redete mehr über die erotischen Escapaden von dort oben.

Ein beunruhigender Effekt war aber, daß Antonia seit ihrem Flirt mit Andreas aufblühte und schöner wurde, ja, schöner von Tag zu Tag. Ich hätte das eigentlich begrüßen sollen, und es gefiel mir ja auch, aber ich spürte doch, daß sie nicht für mich aufblühte, sondern – ja, für wen? Das war noch nicht entschieden. Umso mißtrauischer richtete sich mein Blick auf alle Männer, die in unsere Nähe kamen. Ich mußte den Wachhund spielen und die anderen verbellen, damit Antonia nicht mit ihnen durchbrannte. Eine traurige Rolle, und im nachhinein wundere ich mich auch darüber, daß ich nicht einfach gesagt habe, hör zu, ich glaube wir beide machen es nicht mehr lange miteinander, laß uns in Frieden auseinandergehen, anstatt zu warten, bis es Mord und Totschlag gibt. Aber das Seltsame war, daß ich, obwohl ich durchaus bemerkte, wie Antonia in der ruhigen, beinahe gelassenen Erwartung eines anderen Mannes aufblühte, zugleich nicht auf die Idee kam, sie werde mich verlassen, und möglicherweise dachte sie auch selbst noch nicht daran. Nicht mit dem Kopf, meine ich.
Sie wußte allerdings und sagte es auch, daß sie mal ein paar Dinge allein unternehmen müsse, damit wir unser symbiotisches Verhältnis zugunsten eines etwas emanzipierteren aufbrächen. Sie wollte eine kleine Rundreise machen, nach Frankfurt, Freiburg, Köln und Bonn, um ehemalige Schulfreundinnen und -freunde zu besuchen und zu sehen, was aus ihnen geworden war. Ein ganz normaler Wunsch, ich hatte überhaupt nichts dagegen, ich ermutigte sie sogar dazu, zumal ich es für möglich hielt, daß ich in ihrer Abwesenheit mal mit Wiltrud oder Ingrid schlief, nachdem wir in Finnland so nett miteinander gerudert waren. Aber als Antonia mich aus der Wohnung eines ehemaligen Klassenkameraden anrief,

von Sehnsucht sprach, ein wenig weinte und sagte, sie sei *so froh, meine Stimme zu hören*, wußte ich sofort, was los war. Jetzt hat sie mit ihm geschlafen, dachte ich. Sie hatte es auch versucht, aber es hatte nicht geklappt. Er wisse auch nicht, warum, hatte er zu ihr gesagt, aber *er könne sie nunmal nicht ficken.* Warum erzählte sie mir das? Und warum hörte ich mir sowas an? Symbiose?

Antonias Schlappe mit dem Klassenkameraden, oder seine mit ihr, hinderte sie aber nicht daran, weiter aufzublühen und auf der erotischen Rangliste nach oben zu klettern. Sie wußte nur noch nicht, wohin mit ihren Reizen. Begehrt war sie von vielen, aber wen begehrte sie?

HIER
SCHDINKT'S NACH ZIGAREDDE

Die nächste Ausgabe unserer Zeitschrift wurde vorberei tet. Wir hatten diesmal keine eigenen Beiträge geschrieben, sondern die Gestaltung des ganzen Heftes zwei Genossen überlassen, die uns darum gebeten – oder besser: uns das Angebot gemacht hatten, und zwar auf eine leicht erpresserische Weise. Sie waren zu stolz, bloß einen oder zwei Artikel für ein ansonsten von uns gestaltetes Heft beizusteuern. Entweder wir überließen ihnen die ganze Nummer, sagten sie, oder aus ihrer Mitarbeit würde nichts. Wir überließen ihnen die ganze Nummer.

Als sie mit ihren Artikeln und der Auswahl der Illustrationen fertig waren, durften wir mit ihnen die Druckvorlagen fertigstellen. Hanna Großmann tippte, und da wir inzwischen eine zweite Schreibmaschine mit denselben Schrifttypen gekauft hatten, kamen auch die anderen nicht ungeschoren davon. Drei Tage war die ganze Truppe in unserer Wohnung beschäftigt, und die Herren Autoren standen dabei und kommandierten den Einsatz.

Sie waren Schwaben, alle beide. Beide schwarzhaarig, beide schnurrbärtig, der eine mit einem runden, der andere mit einem eckigen Kopf. Der mit dem runden Kopf hieß Bertram und war ein nachdenklicher, etwas temperamentloser, aber ungeheuer belesener Mensch. Der mit dem eckigen Kopf ähnelte so ziemlich dem Holzfäller, der in Finnland um unser Zelt herumgeschlichen war. Sein Name war Hieronymus. Er war aufbrausend und unbeherrscht und hatte – ähnlich wie

Antonias Freund Krepp – sein Leben der moralischen Verdammung anderer geweiht. Damals waren es gerade *die Leninischde* und *die Schdalinischde*, und insofern paßte das, was er zu verdammen hatte, gut in unsere Zeitschrift. Er war übrigens verheiratet, und hatte einen Sohn, den er sehr liebte. Beide, Bertram wie Hieronymus, wurden von uns sehr bewundert und beinahe schon verehrt, weil sie der *Bewegung* bereits seit einer Zeit angehörten, in der wir noch ahnunglos in der Provinz ein *unpolitisches* und damit auch *unbewußtes* Leben geführt hatten. Sie hatten gewissermaßen schon den *aufrechten Gang* gehabt, als wir noch auf allen Vieren herumgekrochen waren. So ein historischer Vorsprung adelt den Menschen und ist uneinholbar. Wir konnten auf Demonstrationen die Fäuste recken, soviel wir wollten, wir konnten uns bemühen, alles nachzulesen und theoretisch *aufzuarbeiten* –, damals beim *Vietnamtribunal* oder beim *Schahbesuch* dabeigewesen waren wir deswegen noch lange nicht. Und natürlich kannten die Genossen eine Menge Apo-Größen, die wir bisher nur aus der Ferne oder auf dem Bildschirm gesehen hatten, Rudi Dutschke, Bernd Rabehl, Christian Semler, Eike Hemmer, die *SDS-Ines* oder den *roten Konrad* –, und wenn sie gut gelaunt waren, erzählten sie uns leutselig ein paar Anekdoten aus der Pionierzeit.

Immerhin hatten wir die Zeitschrift, und sie waren darauf angewiesen, sich mit uns zu arrangieren, wenn sie ihre Meinung über die *Schdalinischde* veröffentlichen wollten. Sie kommandierten uns zwar herum, als wären wir irgendwelche Hilfskräfte und nicht noch immer die Herausgeber, aber wenn die Manuskripte in den Druck gegangen sind, dachte ich, hat das ein Ende. Am Abend des dritten Tages, als die Vorlagen fertig waren, gingen wir alle auf eine Fete bei

Andreas. Er feierte seine bevorstehende Hochzeit mit Karin. Die beiden hatten eine große Parterrewohnung in der Nähe des Kurfürstendamms, in der damals auch Olaf wohnte. Es gab die üblichen Buletten, Reis- und Nudelsalat, Brot und Käse, dazu billigen Weißwein, billigen Rotwein und billiges Bier. In einem abgesonderten Raum wurde getanzt, vor allem zur Musik der Rolling Stones. *Honky Tonk Woman, Sympathy for the Devil* und diese Sachen. Ich mochte die Stones, aber ich konnte zu ihrer Musik nicht tanzen. Ich wunderte mich immer darüber, daß auf diesen Feten bis zum Erbrechen Stones-Platten aufgelegt wurden und die Leute, die dazu herumhopsten und ihre Mähnen schüttelten, so aussahen, als ob sie sich dabei wohlfühlten. Ich konnte das nicht. Wonach ich gern tanzte, war zum Beispiel der *Pata Pata Song* von Miriam Makeba, darauf ging sogar ein Cha-Cha-Cha. Und *politisch bewußt* war Miriam Makeba auch.

Erstaunlicherweise tanzte an diesem Abend auch Antonia. Sie war ja niemals besonders sportlich gewesen und auch die rhythmische Bewegung zur Musik hatte bei ihr immer etwas Gemachtes oder Gewolltes und kam nicht *aus der Mitte.* Ich fand sogar, es sah ein bißchen albern aus. Sie tanzte aber meistens Blues oder *Stehblues*, wie Wiltrud gesagt hätte, und sie tanzte immer nur mit einem: Hieronymus. Ich hätte gern mit Gina getanzt, aber sie war nicht da. Hanna Großmann war da, und mit der hatte ich keine Lust. Nur sehr sporadisch warf ich einen Blick in den Raum, aus dem der Lärm des Honky-Tonk-Gehopses herausdröhnte, und dann sah ich Antonia, wie sie, den Kopf an die Brust des Holzfällers geschmiegt, von einem Bein aufs andere trat.

Ich mochte Hieronymus, weil er ein so aufbrausendes Temperament und eine so erstaunliche moralische Verdam-

mungsenergie hatte. Ich hielt ihn für einen guten, ja, edlen Menschen. Einmal hatte er mit mir über mein Verhältnis zu Antonia gesprochen, und ich war ganz gerührt darüber gewesen, daß er sich so viele Gedanken um mich gemacht hatte:
»Du musch aufbassa, weisch.«
»Wieso? Worauf?«
»Haja, daß se d'r net davo'laufa.«
»Warum sollte sie?«
»Weil du d'r Schwächere bisch.«
»Wie kommst du darauf?«
»Haja, des sieht mer doch, moinsch net?«
»Tatsächlich?«
»Haja, logisch. D' Fraue sen immer die Schdärkere. Und dei Antonia allemol.«
Merkwürdigerweise war ich über dieses Urteil nicht bestürzt, sondern fühlte mich wunderbar verstanden, als hätte er mir dadurch, daß er mich den Schwächeren nannte, zugleich versprochen, mich wie ein großer Bruder zu beschützen und mir beizustehen. Daß man *als Linker* auf der Seite des Schwächeren stehen müsse, war für mich noch so selbstverständlich, daß ich glaubte, es ginge in der Welt auch so zu.
Antonia tanzte mit Hieronymus, und ich gönnte den beiden das Vergnügen. Ich war nicht einmal eifersüchtig, sondern trat dem großen Bruder beinahe freudig das Recht auf einen Stehbluesabend mit Antonia ab. Ich fühlte mich ungefährdet, zumal auch Hieronymus' Frau, Susanne, da war und ebensowenig beunruhigt schien wie ich. Ich fing nur an, mich zu langweilen. Es gab keine *Braut*, hinter der ich her war, und zu längeren Gesprächen war ich auf solchen Festen nicht imstande. Es fiel mir immer schwer, mich zu unterhalten, wenn

das Thema nicht genau definiert war, und das war es ja nie. Kaum hatte man sich auf einen Gesprächsgegenstand eingestellt, waren die Leute schon bei einem anderen, und mein schwerfälliger Verstand war so damit beschäftigt, die Logik dieser Sprünge zu ergründen, daß ich der Unterhaltung hoffnungslos und mit blödem Gesichtsausdruck hinterherhinkte. So gegen ein Uhr ging ich zu Antonia und sagte, ich sei müde und wolle jetzt gehen.

»Ja, gut.«

»Dann komm.«

»Geh nur«, sagte sie, »ich bleibe noch.«

Das war ungewöhnlich, das war nicht üblich, das war auch ganz und gar unsymbiotisch. Normalerweise gingen wir gemeinsam irgendwo hin und gemeinsam wieder zurück, außer wenn Antonia zum *Frauenforum* in der Hornstraße ging; da hatte ich als Mann nichts zu suchen.

»Was soll das heißen, du bleibst noch? Wie lange?«

»Ich weiß nicht. Mal seh'n.«

Es war, das muß ich noch einmal betonen, eine Zeit und eine *Szene*, in der es nicht als schicklich galt, eifersüchtig zu sein. Jeder normale Ehemann wäre ein bißchen energisch geworden, wenn seine Frau den ganzen Abend mit einem anderen herumgeschmust und dann nicht mal mit ihm nach Hause gewollt hätte. »Hör zu«, hätte er gesagt, »das geht mir jetzt ein bißchen zu weit. Du bist mit mir verheiratet und hast mir Treue geschworen, aber dies hier sieht verdammt nach Untreue aus, und wenn du nicht bereit bist, davon abzulassen, dann sollten wir mal ernsthaft über eine Scheidung nachdenken, mit allen Konsequenzen. Und glaube nicht, daß ich mich vor Gericht besonders nachgiebig zeigen werde, ich sehe nicht ein, daß du hier auf meinen Gefühlen herumtrampelst und ich am Ende auch noch dafür zahlen soll. Also, kommst du jetzt?«

Natürlich gibt es auch Fälle, in denen der Ehemann nicht weiß, ob Eifersucht angebracht ist oder nicht. Seine Frau trifft nach zehn Jahren eine Jugendliebe wieder – darf sie das? Besteht Grund zur Eifersucht? Natürlich nicht, würden wir sagen, aber es gibt Männer, die auch in diesem Falle schon die eheliche Treue bedroht sehen. Ich erwähne das nur, um zu zeigen, daß es nicht so leicht ist, zwischen begründeter und wahnhafter Eifersucht zu unterscheiden. In jenen Zeiten aber und in jener Szene, von der ich erzähle, galt Eifersucht grundsätzlich als unbegründet und nicht berechtigt, und es kam vor, daß Männer, die es nicht ertragen konnten, wenn ihre Frauen oder Freundinnen im Nebenzimmer mit anderen *pennten*, für ihre *Besitzansprüche* auch noch gescholten wurden. So war ich, nachdem ich Antonia gefragt hatte, ob sie mit mir nach Hause käme, und sie nein gesagt hatte, unsicher, wie ich reagieren sollte, und da ich nebenbei mitbekam, daß Hieronymus' Frau sich, wie es schien, gelassen ihren Mantel anzog, tat ich es auch. Als wir beide zum Weggehen gekleidet im Flur standen und nur noch unsere Schals festzurrten, fragte sie, ob ich sie nicht nach Hause fahren könne? Aber ja, dachte ich, klar doch, und das sagte ich natürlich auch, aber ich dachte zugleich: Vielleicht will sie gar nicht nach Hause, vielleicht gehen wir noch in eine Kneipe und anschließend, wer weiß? Sie gefiel mir gar nicht so übel. Ich hatte mich nur nicht an sie herangetraut, weil sie ja mit Hieronymus verheiratet war. Gerade wollte ich mit ihr die Wohnung verlassen, da stürzte ein Mensch herbei, den ich wegen seiner unterwürfigen Art zutiefst verabscheute. Sein Name war Ludwig Kropf. Er war ein kleiner, fast zwergwüchsiger Kerl mit einem filzigen

blonden Bart, in welchem sich immer allerlei Speisereste verfingen. Er trug eine Brille mit zwei Gläsern, hatte aber nur ein Auge. Das andere war ihm vor vielen Jahren von seinem Bruder mit Hilfe eines Flitzebogens ausgeschossen worden. Er war mit Bertram und Hieronymus befreundet, bewegte sich seit einiger Zeit im Umkreis unserer Gruppe und bot uns, wo er konnte, seine Dienste an. Ich fand seine unterwürfige und zugleich aufdringliche Art abstoßend, aber da er so häßlich war, dachte ich, ich mag ihn wahrscheinlich nur deswegen nicht, weil er von der Natur so benachteiligt worden ist, und glaubte, meinen Widerwillen überwinden oder wenigstens im Zaum halten zu müssen. Dieser Mensch stürzte nun herbei und bat mich ebenfalls, ihn nach Hause zu fahren, das liege doch auf dem Weg. Das war leider wahr. Kropf wohnte in Kreuzberg, in der Nähe des *Südstern*, und wenn ich von Charlottenburg nach Neukölln fuhr, mußte ich ohnehin am Südstern vorbei. Aber wollte ich denn nach Neukölln? Ich wollte doch mit Susanne in eine Kneipe gehen? Warum sagte ich dann ja, anstatt nein zu sagen, nein, tut mir leid, es liegt zwar auf dem Weg, aber ich fahre noch nicht nach Hause?
Wahrscheinlich dachte ich wieder, ich darf ihm nichts abschlagen, weil er so benachteiligt ist. Oder ich hatte Angst davor, mit Susanne allein zu sein. Jedenfalls sagte ich ja, und damit war der Kneipenbesuch gestorben. Susanne wohnte in der Sybelstraße, und ich konnte unmöglich erst nach Kreuzberg fahren, um Ludwig Kropf abzusetzen, und dann zurück nach Charlottenburg, um Susanne in die Sybelstraße zu bringen. Das ging nicht, das wäre zu plump gewesen. Anstatt nun aber, nachdem ich Kropf am Südstern abgesetzt hatte, ebenfalls nach Hause zu fahren und dort friedlich einzuschlafen, machte ich noch einen kleinen Umweg über die Hauptstraße,

wo sich schräg gegenüber dem Kino *Notausgang* eine Nachtbar befand, in der auf einer großen Leinwand mit leider etwas schwachem Projektor Pornofilme zu sehen waren. Ja, so war es: Anstatt um Antonia zu kämpfen oder stumm um sie zu leiden, ging ich in einen Pornoschuppen und versuchte zu *vergessen*, was mir, wie immer, gut gelang.
Es wurde draußen noch nicht hell, aber es war sicherlich drei Uhr, wenn nicht halb vier, als ich nach Hause kam. Antonia? Ich ging von einem Zimmer zum anderen, aber sie war nicht da. Wo war sie? Immer noch bei Karin und Andreas? Übernachtete sie dort? Oder war sie mit Hieronymus in die Sybelstraße gefahren, um dort mit ihm zu schlafen? Nein, unmöglich, da war Susanne, da konnten sie nicht hin. Vielleicht lagen sie inzwischen im Doppelzimmer eines Hotels und hatten bereits das Licht gelöscht? Ich spielte das alles in Gedanken durch und versuchte, dabei ruhig zu bleiben. Ich blieb auch ruhig, aber ich dachte doch, es wäre gut, wenn ich jetzt schlafen könnte, nicht mehr denken, nicht mehr von Antonia und Hieronymus phantasieren, sondern schlafen, schlafen, morgen ist ein neuer Tag. Ich suchte im Medizinschränkchen nach Schlaftabletten. Ich fand keine. Mich einfach so hinzulegen, wagte ich nicht, aus Angst vor meinen Phantasien. Die Ruhe, die ich im Pornoschuppen gefunden hatte, wich einem Vorgefühl von Panik. Ich brauche irgend etwas, das mich schlafen läßt, dachte ich. Ich ging zum Küchenschrank, öffnete die Tür und sah eine Flasche Pott-Rum, halb voll. Ist gut, dachte ich, dann los. Ich trank die Hälfte des Rums und stellte die Flasche zurück. Ich spürte noch keine Wirkung, aber die würde schon kommen, wenn ich mich erstmal hinlegte. Um mir das Einschlafen noch leichter zu machen, ging ich nicht ins Schlafzimmer, in dem ich doch nur darauf lauschen würde,

ob die Haustür aufgeschlossen wurde, sondern ins Gästezimmer. Es lag in einem abgelegenen Trakt der Wohnung, man hörte dort nichts von dem, was im anderen Teil geschah, man hörte die Haustür nicht klappen und hätte auch die Klingel nicht gehört, aber warum sollte Antonia klingeln, sie hatte ja einen Schlüssel. Ich zog mich halb aus, legte mich aufs Bett, wartete auf die Wirkung des Rums und rauchte eine Zigarette. Dann stand ich auf, ging noch einmal in die Küche und trank den Rest. Allmählich fing der Alkohol an zu wirken. Ich schlief nicht ein, sondern dämmerte vor mich hin. Ich weiß nicht, wie lange ich so lag. Möglicherweise nicht sehr lange. Meine Ruhe wurde durch zwei Ereignisse gestört. Das eine bestand darin, daß der Rum ein bißchen stärker wirkte, als ich es beabsichtigt hatte. Die betäubende Wirkung wurde zunehmend begleitet von Übelkeit und Schwindelgefühlen. Ich dämmerte vor mich hin, und mir war schlecht. Das andere bestand darin, daß sehr, sehr leise und rücksichtsvoll die Tür geöffnet wurde. Ich sah es nicht, ich lag ja da und dämmerte, aber ich hörte es. Eine Stimme flüsterte: »Hier schdinkt's nach Zigaredde!« Es war eine Männerstimme, die mir nicht ganz unbekannt vorkam. Dann hörte ich Schritte, die sich näherten, spürte einen Luftzug über meinem Gesicht, und eine andere Stimme flüsterte: »Er schläft!« Die Schritte entfernten sich, die Tür wurde geschlossen, und ich war wieder allein. Am besten du bleibst hier liegen und tust so, als hättest du nichts mitgekriegt, dachte ich. Sollen sie doch machen, was sie wollen, was geht's dich an? Wahrscheinlich schlafen sie jetzt miteinander, na und? Was du nicht weißt, macht dich nicht heiß. Aber du weißt es eben, dachte ich dann. Du liegst hier im Bett und weißt, daß sie dich zum Narren halten, um diese Tatsache kommst du nicht herum. Sie achten dich nicht.

Wenn sie dich achten würden, wären sie woanders hingegangen und täten es da.
Meine Gedanken begannen, um dieses zum Narren-gehalten- und Nicht-geachtet-werden zu kreisen, und zugleich fing auch das Zimmer an zu kreisen, und ich dachte, wenn ich mich jetzt nicht aufrichte, muß ich kotzen. Ich setzte mich auf die Bettkante und das Kreisen hörte auf. Ich muß etwas tun, dachte ich, ich kann nicht immer alles so hinnehmen, als ginge es mich nichts an, ich muß irgendwie Stellung beziehen, wie, weiß ich auch nicht. Ich stand auf, ging durch den kleinen Flur ins Wohnzimmer, und da war niemand. Ich ging durch einen etwas längeren Flur zum Schlafzimmer, öffnete die Tür und sah Hieronymus im Bett liegen, während Antonia gerade dabei war, sich auszuziehen. Ich weiß noch, wie überrascht ich war, sie nicht alle beide im Bett zu sehen. Ich hatte erwartet, sie mitten im schönsten Liebesakt anzutreffen, aber das, was ich sah, war vergleichsweise profan, ja, eigentlich recht bieder. Antonia stand nach vorn gebeugt auf einem Bein und zog sich den zweiten Strumpf aus, um ihn wie den ersten fein säuberlich über die Stuhllehne zu legen. Der Anblick erregte mich nicht, weder auf die eine, noch auf die andere Weise. Wenn es nach mir gegangen wäre, also nach dem, was ich unmittelbar *fühlte*, dann hätte ich ganz harmlos »Hallo« sagen können, »Hallo, wie war's denn?« oder »Wie geht's denn immer so?« oder »Na, ihr beiden?« Aber es geht eben nicht nur nach dem, was man fühlt. Man hat einen Wust von Vorstellungen davon im Kopf, wie man ist und wie man sein sollte, und davon, was die anderen denken, wenn man so ist, wie man ist, und nicht so, wie man sein sollte. Ich dachte zum Beispiel an Antonias Vater, über den ich einiges von Alice, ihrer Mutter, gehört hatte. Alice hatte sich, als Antonia zwölf

war, von ihm scheiden lassen, um mit einem Musiker zusammenzuleben. Die Kinder nahm sie mit. Antonias Vater ließ das fast emotionslos über sich ergehen, er bestand nur darauf, die Kinder weiter zu besuchen. So kam er denn dreimal die Woche auf die Minute pünktlich zu Besuch und brachte damit – vor allem aber mit seiner Emotions- und Eifersuchtslosigkeit – den Musiker zur Verzweiflung. Ich fand sein *cooles* Verhalten eigentlich ganz vernünftig, aber eben dieses Vernünftige und Emotionslose wurde von Alice immer nur im Tonfall höchster Verachtung geschildert. Da Antonia ihrer Mutter sehr ähnlich war, dachte ich jetzt, wenn ich so emotionslos bin wie ihr Vater, dann wird sie mich ein Leben lang dafür verachten. Zugleich dachte ich daran, daß Hieronymus zu mir gesagt hatte, ich sei *der Schwächere*, und er es offenbar doch nicht so gut fand, der Schwächere zu sein, jedenfalls nicht schützenswert. Er war nicht der große Bruder, der dem kleineren die Feinde vom Leibe hielt, er war selbst der Feind. Und doch war er für mich der große Bruder, um dessen Achtung ich besorgt war. Ich wußte, daß er, wie so viele, die sich zur *Spontaneität* bekannten, den *Prozeß der Zivilisation* bedauerte und ein weniger aggressionsgehemmtes Verhalten, als es uns anerzogen worden war, für wünschenswert hielt. Er selbst, mit seinem aufbrausendem Temperament, würde jetzt nicht so tatenlos dastehen und daran denken, einfach nur »Hallo« zu sagen, dachte ich. So stand ich da, sah wie Antonia sich bettfertig machte, dachte, die beiden verachten dich, wenn du so emotionslos bist, *du mußt jetzt deine Aggressionen rauslassen*, ganz egal, ob du sie hast oder nicht, und wurde nun tatsächlich von einer Woge inneren Aufruhrs ergriffen. Mit einem Laut, der einem Urschreitherapeuten einige Freude bereitet hätte, stürzte ich mich auf Hieronymus und fing an, mit meinen Fäusten auf ihn einzutrommeln. Er wehrte sich nicht. Vielleicht dachte er, es geschehe ihm recht. Es geschah ihm ja auch recht. Ich kniete auf ihm in einer Stellung, die, wäre ich Antonia und nicht die Bettdecke zwischen uns gewesen, ihm durchaus Lust hätte bereiten können, und *bearbeitete* ihn, bis ihm das Blut aus der Nase schoß.

Ich weiß nicht, was Antonia tat, ich habe nicht darauf geachtet. Sie versuchte jedenfalls nicht, mich von Hieronymus wegzureißen, oder wenn, dann habe ich davon nichts mitkriegt. So emotionslos ich vor einer Weile noch gewesen war, so sehr befand ich mich jetzt in einem Rausch. Ich war nicht mehr Herr meiner Sinne und kam daher mit den Plus- und Minuspolen meiner Gefühle durcheinander. Warum schlug ich mit einer solchen Wut auf diesen Mann ein? Weil ich von ihm Schutz erwartet, ihn verehrt, bewundert und geliebt hatte? Ja, ich hatte ihn geliebt. Es war nicht nur so, daß er mir die Frau genommen hatte, Antonia hatte mir auch den Freund genommen oder den, den ich mir genauso zum Freund gewünscht hatte wie sie. Liebe war umgeschlagen in Enttäuschung und Wut – und daher war es kein Wunder, daß sie erneut zum Vorschein kam, als sich die Wut erschöpfte. Hieronymus lag, ohne sich zu wehren, da, als ich ihn mit meinen Fäusten traktierte – und auch noch, als ich, nachdem ich alle Wut aus mir herausgeprügelt hatte, anfing, sein Gesicht mit Küssen zu bedecken. Ja, wirklich, ich küßte ihn. Es muß grauenvoll für ihn gewesen sein. Er will mit einer Frau, mit der er die ganze Nacht herumgeschmust hat, schlafen, um endlich zum Höhepunkt und zur Ruhe zu kommen, und muß sich dann von ihrem nach Pott-Rum stinkenden Kerl abküssen lassen. Widerlich. Als ich von ihm abließ, stand er auf, raffte seine Kleidungsstücke zusammen, zog sich im Flur an und verschwand.

Gab Antonia ihm noch einen Abschiedskuß? Ich weiß es nicht. Ich kniete inzwischen vor dem Klo und kotzte, bis die Galle nichts mehr hergab. Den Rest der Nacht und den ganzen folgenden Tag lagen Antonia und ich waidwund im Bett und heulten. Aber während wir im Gleichklang schluchzten, ahnte ich doch, daß ihr Schluchzen mit dem meinen nichts gemein hatte. Es war nicht für mich. Es war gegen mich. Und meins war gegen sie. Wenigstens gegen die, die sie gewesen war, als sie vor ein paar Stunden gebückt auf einem Bein gestanden hatte und dabei gewesen war, ihren Strumpf auszuziehen.

AUF GROSSER FAHRT

Am Abend des nächsten Tages, es war Sonntag, beschloß ich wegzufahren. Ich wollte Berlin für eine Woche verlassen, damit Antonia sich zwischen mir und Hieronymus entscheiden könne. Ich wußte gar nicht, ob sie eine solche Entscheidung fällen wollte, aber ich hätte es auch nicht ertragen, zu Hause zu sitzen und um sie zu bangen, während sie sich mit Hieronymus traf und ihre Wange an die seine legte. Montagfrüh packte ich meinen Koffer, sagte, ich wisse noch nicht, wohin ich führe, stieg ins Auto, hielt an der nächsten Telefonzelle und rief Isabella an.

Isabella war eine zierliche Frau mit roten Haaren und schmalen grünen Augen. Sie hatte ein flächiges Gesicht mit feiner Nase und einem zarten Mund. Ihre Stimme klang etwas gequetscht, und ihr Kichern hatte etwas Hexenhaftes. Ich kannte sie kaum, sie war nur einige Male bei uns gewesen. Sie besuchte ebenso wie Antonia das Frauenforum in der Hornstraße und sagte dort hin und wieder etwas oder kicherte hexenhaft in sich hinein. Sie erinnerte mich ein bißchen an meine Schwester, die auch rote Haare und grüne Augen hatte und ähnlich kicherte, wenigstens in ihren jungen Jahren. Ich mochte sie – ich meine Isabella – und nun, wo ich zwischen einem Schluchzen und dem nächsten überlegte, was aus mir werden würde, wenn Antonia mit Hieronymus über die Berge ging, kam ich auf die Idee, Isabella um Rat zu fragen und mich von ihr trösten zu lassen und, wer weiß, vielleicht ein bißchen mit ihr anzubändeln; denn wenn es unter den Frauen, die ich kannte, eine gab, die ich für

Antonia ebenbürtig oder *gleichwertig* hielt, dann war es Isabella.

Sie wunderte sich ein bißchen darüber, daß ich sie anrief. Aber als ich sagte, es sei dringend, und ich müsse sie unbedingt sprechen, lud sie mich zum Frühstück ein und trug mir auf, *Schrippen* mitzubringen. Sie wohnte mit drei anderen Genossinnen und Genossen in einer Wohngemeinschaft, die nach sogenannten *Funktionsräumen* gegliedert war. Das hieß, in einem wurde geschlafen, in einem anderen gearbeitet, in einem dritten ferngesehen und in einem weiteren – der Küche – gefrühstückt. Mir war es nicht recht, daß ich nicht mit ihr allein, sondern mit ihrer ganzen Wohngemeinschaft frühstücken sollte, aber ich wagte nicht, gegen die entschiedene Art, mit der Isabella mich in die Küche bat, aufzubegehren. Natürlich erzählte ich von meiner *Beziehungskiste* nicht in dieser Runde, sondern wartete stumm oder doch recht einsilbig darauf, daß die anderen endlich den Funktionsraum wechselten. Erst beim Abwaschen und weiterem Kaffeetrinken begann ich mit meinem Bericht. Isabella hörte sich alles geduldig an, rauchte ein paar selbstgedrehte Zigaretten, kicherte gelegentlich in sich hinein und ließ sich nicht mal dadurch aus der Ruhe bringen, daß ich sie fragte, ob sie sich vorstellen könne, mit mir zusammenzuleben; ich sei nämlich in sie verliebt.

Ich hatte es offenbar ziemlich eilig, für Ersatz zu sorgen, falls Antonia mit Hieronymus ernst machte. Wir hatten unser Leben so lange gemeinsam gestaltet, daß ich nicht wußte, was ich allein machen sollte. Was hätte, wenn Antonia nicht mehr da wäre, noch einen Sinn? Das Studium? Die Zeitschrift? Die Revolution? Ach ja, irgendwie schon, aber doch nicht *in erster Linie*. So wie es Primär- und Sekundärliteratur gibt, so gab es für mich ein primäres und ein sekundäres Leben, und was für andere das primäre sein mochte – der Beruf, der Sport, die Käfersammlung –, das war für mich sekundär. Die Frau oder die Liebe sei das Primäre, dachte ich. Die einzige Leidenschaft *für eine Sache*, die mich je ergriffen hatte, war das Klarinettespielen in einer Jazzband gewesen, und das war lange her.

Ich glaube, Isabella sagte nicht mal nein, als ich ihr meinen Antrag machte, sie machte mir sogar Hoffnung und versprach mir eine Antwort zu geben, wenn ich wieder in Berlin wäre. Jetzt solle ich nur erstmal wegfahren, das sei bestimmt kein schlechter Gedanke. Sie gab mir sogar die Adresse eines gewissen Heribert in Frankfurt, bei dem ich mal vorbeischauen und vielleicht auch *poofen* könne.

Als ich bei klarem herbstlichen Wetter in meinem VW-Käfer über die Avus Richtung Kontrollpunkt Dreilinden fuhr, fühlte ich mich wunderbar gestärkt. War ich nicht wirklich verliebt in Isabella? Vielleicht war sie die Rettung. Und wie einfach es gewesen war, sie anzurufen und sich mit ihr zu treffen! Man mußte nur den Mut dazu haben –, und manchmal war es eben erst die Verzweiflung, durch die man erfuhr, wie leicht es war, Mut zu haben. Ich passierte die Grenze zur DDR und nahm die Strecke Richtung Helmstedt. Bei Michendorf fuhr ich auf die Tankstelle. Das war so üblich. Man fuhr mit leerem Tank auf die Transitstrecke und tankte bei *Intertank* zu einem etwas günstigeren Preis als im Westen. Mein Tank war noch halbvoll, aber ich fuhr trotzdem raus. Als das Benzin eingefüllt wurde, sprach mich ein Mann in einwandfreiem Sächsisch an und fragte, ob ich ihn mitnehmen könne, er wolle nach Leipzig. Ich sagte ja, von mir aus könne er einsteigen, und als der Tankwart mich daran erinnerte, daß das Mitnehmen von

Personen den Transitreisenden bei Strafe verboten sei, schlug ich seine Warnung in den Wind. Bereits nach ein paar Kilometern, vor dem *Abzweig Leipzig*, bemerkte ich, daß ich einen Fehler gemacht hatte. Leipzig lag gar nicht auf der Strecke nach Helmstedt. Hatte ich das nicht gewußt? Oder hatte ich nicht richtig hingehört, als der Mann gesagt hatte, er wolle nach Leipzig? Jedenfalls hielt ich am *Abzweig Leipzig* an und bat den Mann auszusteigen. Er fluchte, beschimpfte mich und behauptete, er werde jetzt ewig hier stehen und den Daumen in Fahrtrichtung halten, aber was sollte ich machen? Ich entschuldigte mich tausendmal und wünschte ihm eine gute Reise. Dann bog ich nach rechts, Richtung Helmstedt, ab. Kurz darauf wurde ich von einem Streifenwagen angehalten. Zwei Polizisten in grauer Uniform stiegen aus und verlangten, meine Papiere zu sehen. Ob noch jemand im Wagen sei?

»Nein.«

»Sie haben doch an der Tankstelle einen Anhalter mitgenommen.«

»Ich? Nein. Aber sie können ja mal nachschauen.«

Das taten sie natürlich sowieso. Ich mußte den Rücksitz hochklappen, die Kühlerhaube öffnen, den Kofferraum freiräumen und das Reserverad herausnehmen, aber ein versteckter Republikflüchtling kam nicht zum Vorschein. Die Polizisten wunderten sich sehr darüber, aber vielleicht hatte ja der Tankwart, oder wer immer es war, der mich verraten hatte, die Autonummer falsch notiert.

Ich erwähne diese Episode nur, weil sie seit langer Zeit das erste Abenteuer war, das ich *allein* zu bestehen hatte *und von dem nur ich erzählen konnte*. Alles, was in den vergangenen sechs Jahren geschehen war, hatte ich mit Antonia zusammen erlebt, und wenn ich anderen davon berichten wollte, dann war Antonia bereits dabei, meine Geschichte zu erzählen, bevor ich noch das erste »Äh ...« herausgebracht hatte. Ich gab die Anekdote von meiner Beinaheverhaftung auf der Transitstrecke in den nächsten Tagen und Wochen mehrere Male zum besten und genoß dabei die Rolle des Erzählers, auch wenn ich natürlich nicht das Talent hatte, die Sache so auszuschmücken und zu dramatisieren, wie Antonia es getan hätte.

Als ich bei Helmstedt die Ausreisekontrolle hinter mir hatte und wieder freie, westliche Luft atmete, beschloß ich, die Idee auszuführen, die ich bereits vage im Kopf gehabt hatte, als ich diese Transitstrecke einschlug: Bernhard Engel anzurufen und ihn um ein Gespräch zu bitten.

Bernhard Engel war Professor für Psychologie und ein *prominenter Linker.* aus der Reihe der anderen Apo-Größen ragte er allein schon dadurch heraus, daß er eine Generation älter war als die meisten. Es herrschte Mangel an Vaterfiguren, und dieser war eine, wie man sie sich wünschte. Klug, gütig und mutig im Umgang mit den *Herrschenden.* Er reiste viel herum, hielt Vorträge, trat bei teach-ins auf, saß bei Podiumsdiskussionen auf der Bühne, setzte seinen Namen unter Resolutionen und offene Briefe und hatte natürlich auch einige Bücher veröffentlicht, von denen ich aber keines kannte. Überhaupt kannte ich ihn kaum. Er hatte uns, womit ich unsere *Gruppe* meine, einmal besucht, um mit uns über die Situation der Linken, ihre *Perspektiven*, die notwendigen Maßnahmen im Falle eines *bewaffneten Aufstandes* etc. zu diskutieren. Wir waren sehr geschmeichelt gewesen, als er seinen Besuch ankündigte, und da wir dachten, wie könnten bei dem Gespräch mit einem so prominenten Gast ein biß-

chen Verstärkung gebrauchen, luden wir Hieronymus und Bertram dazu ein.
Worum es bei dem Treffen im einzelnen ging, weiß ich nicht mehr, ich habe schon damals wenig begriffen, ich weiß nur noch, daß der Besucher immer wieder mal das Wort *Logistik* von sich gab und einmal sogar die Frage aufwarf, ob im Falle einer Revolution nicht auch *Köpfe rollen* müßten. Unsere Gruppe war, glaube ich, dagegen. Hieronymus und Bertram sagten hinterher, Bernhard Engel hätte immer um den heißen Brei herumgeredet und in Wirklichkeit Proselyten für die *Rote Armee Fraktion* oder irgendwelche anderen Terroristen machen wollen. Ich habe nie herausgefunden, ob das die Wahrheit war, ich habe mich aber auch nicht darum bemüht. Ich fuhr nach Göttingen, nahm in der Nähe des Bahnhofs ein Hotel und rief Bernhard Engel an.
Nein, heute habe er keine Zeit, sagte er, nachdem ich ihm in Erinnerung gerufen hatte, wer ich sei, und woher ich käme, aber morgen nachmittag könne ich zwei Stunden zu ihm kommen, einverstanden?
Aber sicher. Ich begrüßte es sogar, daß ich ihn erst morgen sehen durfte. Damit war ich fürs erste gerettet. Ich wußte zwar nicht, was ich bis dahin mit mir anfangen sollte, aber ich hatte eine Hoffnung, an der ich mich festhalten konnte, und wenn man erstmal in einer Lage ist, in der man sich psychisch von Stunde zu Stunde hangelt, dann lernt man die Hoffnung schätzen, auch wenn sie oft nicht mehr ist als eine Illusion. Gegen Abend, mit Einbruch der Dunkelheit, erschien mir alles wie ein Spuk, ein Alptraum, unwirklich und hirngespinstig: Brauchte ich nicht nur Antonia anzurufen und zu sagen, komm, lassen wir doch die Albernheiten, wir leben und arbeiten jetzt seit über sechs Jahren zusammen, wir sind

Partner, wir sind ein Paar, vielleicht sogar ein *Traumpaar*, ist das nicht wichtiger, als irgendso ein Abenteuer mit Hieronymus? Was mache ich hier in Göttingen, was machst du da allein zu Haus, das ist doch alles Unsinn. Weißt du was, ich setze mich jetzt ins Auto, fahre wieder zurück, und dann vergessen wir den ganzen Spuk und leben noch einmal sechs Jahre zusammen, es war doch eine schöne Zeit oder nicht? Aber wenn ich Antonia anrief, dann war sie vielleicht gar nicht allein. Hieronymus war bei ihr, sie lagen im Bett, schliefen miteinander und freuten sich, daß ich vierhundert Kilometer weit entfernt war. Ich war mir auch gar nicht mehr so sicher, ob es wirklich eine so schöne Zeit gewesen war und ob ich noch einmal sechs Jahre davon wollte. Oder es war eine schöne Zeit, aber sie ließ sich nicht wiederholen. Hatte es nicht auch etwas Reizvolles, hier in einem schmucklosen Hotelzimmer zu hocken, durch graugelbe Gardinen auf die grelle Neonreklame eines Möbelhauses zu gucken und sich wie ein *lonely cowboy* zu fühlen, oder wie der Detektiv in einem Film der *Schwarzen Serie*? Ich war frei. Wozu? Keine Ahnung. Es wäre leichter gewesen, wenn ich Wünsche gehabt hätte, aber ich hatte keine, ich hatte das Wünschen verlernt, vom Wollen ganz zu schweigen. Wenn ich in die Zukunft blickte, wußte ich nicht, was ich da sollte, blickte ich zurück, sah ich Antonia mit Hieronymus im Bett.

Um mich über den Abend hinüberzuretten, kaufte ich mir in einem Schreibwarenladen ein dickes, rotes Heft, DIN A5, setzte mich in ein jugoslawisches Restaurant, bestellte Cevapcici und scharfe Zwiebeln und fing an, irgend etwas in das Heft hineinzuschreiben. Es waren meine ersten Aufzeichnungen seit sechs Jahren, seit Antonia und ich unser *Autodafé* veranstaltet hatten. Es waren wahrscheinlich auch meine ersten eigenen Gedanken seit dieser Zeit. Das erste Mal, daß ich etwas ganz allein für mich festhielt. Und vermutlich war es der Text für morgen, für das Gespräch mit Bernhard Engel.

Er wohnte in einer kleinen Straße mit prächtigen Bürgerhäusern. Seine Wohnung lag im ersten Stock. Eine großzügig angelegte Treppe führte hinauf. An der Tür sah ich drei Namensschilder. Offenbar wohnte er nicht allein.
Er öffnete mir die Tür und führte mich in ein großes Parkettzimmer, in dem sich ein Schreibtisch, ein Plattenspieler und eine Sitzecke befanden. Zwei lindgrüne Sessel, ein schwarzer Ledersessel, ein großer weißer Sessel mit breiter Armlehne und einem bunten Bezug, beinahe wie ein Gartenmöbel. Ich setzte mich in einen der lindgrünen Sessel und zündete mir eine Zigarette an. Geraucht werden durfte, das war keine Frage. Überall standen Aschenbecher herum. Ein Pfeifenbesteck lag auf dem Tisch. Auch Zigaretten, verschiedene Marken, sogar *Finas*, die meine Mutter immer geraucht hatte.
Er machte für uns beide Tee und ließ mich, nachdem er eingeschenkt hatte, erzählen. Er war ein guter Zuhörer, was man von einem Psychoanalytiker ja auch verlangen kann. Allerdings wußte ich zu der Zeit noch gar nicht, daß er Analytiker war. Er hätte ja auch Gesprächs-, Gestalt-, Systemoder was weiß ich für ein Psychologe sein können. Ich wußte eigentlich überhaupt nicht, wer er war, er war eben nur ein *prominenter Linker*, eine Vaterfigur und – so sah er aus, und so wollte er wohl auch aussehen – ein grundgütiger Mensch, der für andere da war und ihnen half, so gut er konnte. Er fragte nicht lange danach, wieso man einfach so hereingeschneit kam und irgendwelche Eifersuchtsdramen erzählte, er fragte nur ab und zu nach, wenn er mit einer Formulierung

nicht viel anfangen konnte: »Du sagtest, du seist *ausgeflippt*? Was meinst du damit?«
»Naja, ich hab mich auf ihn gestürzt und –«
Daß ich Hieronymus nicht nur geschlagen, sondern auch geküßt hatte, verschwieg ich. Ich schämte mich zu sehr dafür. Ich müsse irgendwie von meiner Eifersucht wegkommen, sagte ich. Ich sei leider immer noch der alte und noch nicht der neue Mensch. Er nahm das so hin. Er sagte jedenfalls nicht, daß es einigermaßen normal sei, eifersüchtig zu sein, wenn die Frau, mit der man zusammenlebt, einen Liebhaber mit nach Hause bringt. Aber vielleicht wollte er erstmal nur zuhören. Antonia und ich seien ihm bei seinem Besuch in Berlin sofort aufgefallen, sagte er. Das sind die *Königskinder*, hätte er gedacht. Oder das *Prinzenpaar*. Er hatte uns ein paar Tage später noch einmal in den Geschäftsräumen seines Verlegers gesehen, wo wir die Vorlage für eine Verlagsanzeige abholten, die in unserer Zeitschrift erscheinen sollte. Ich war geschmeichelt, daß er sich noch daran erinnerte. Ich war geschmeichelt, daß er so lange mit mir sprach. Er war ein großer Mann. Wir duzten uns. Wir waren *Genossen.* Was machte da der Altersunterschied von zwanzig Jahren? Ich war dreißig, er fünfzig. Ich war glücklich, als er mir anbot, noch einmal wiederzukommen. Morgen könne er leider nicht, aber übermorgen, Donnerstag, um dieselbe Zeit? Er könne mir auch eine Unterkunft besorgen, es gebe in der Nähe eine Wohngemeinschaft mit Leuten, die ihm verpflichtet seien. Wenn ich bei denen übernachten wolle?
Ich verbrachte den Abend in der Küche dieser Wohngemeinschaft und erzählte mein Eifersuchtsdrama nun schon das dritte Mal. Erst Isabella, dann Engel, dann den Genossen, die hier einträchtig zusammenwohnten: Tina, Renate, Charly,

Walter. Ich war davon überzeugt, daß meine Geschichte nicht nur für mich, sondern auch für alle anderen die spannendste Story der Welt sei. Ich hätte damit tingeln gehen können, auf Jahrmärkten auftreten oder auf Kleinkunstbühnen. Wenn ich arabisch gekonnt hätte, wäre ich nach Marrakesch gefahren, hätte mich auf den Platz Djema el-Fna gesetzt und sie da erzählt. Die Anekdote vom Anhalter auf der Transitstrecke ließ ich natürlich auch nicht aus. Nebenbei verliebte ich mich in Tina und dachte, vielleicht sollte ich nach Göttingen ziehen und mit ihr leben.

Ich bekam als Bett das Sofa im Gemeinschaftsraum, der nur durch eine Schiebetür von Walters Zimmer getrennt war. Die Schiebetür stand in der Nacht halb offen, aber auch wenn sie geschlossen gewesen wäre, hätte ich das Gestöhne und Geseufze im Nebenzimmer nicht überhören können. Waren es Walter und Tina oder Walter und Renate? Nein, Tina durfte es nicht sein. Ich war doch in sie verliebt und wollte ihretwegen nach Göttingen ziehen. Ich war allerdings auch in Isabella verliebt und wollte in ihre Wohngemeinschaft mit den Funktionsräumen ziehen, obwohl ich die Sache mit den Funktionsräumen ziemlich blöd fand. Ich bewunderte Walter, weil er so lange durchhielt. Er kam und kam nicht. Ich wäre längst am Ende gewesen. Wenigstens mit Antonia. Oder war es schon das zweite Mal? Ich beneidete die Liebenden darum, daß sie so unbekümmert um den Gast im Nebenzimmer ihre Schreie, Seufzer und das Aneinanderklatschen ihrer Körper vernehmen ließen. Wenn ich das schon mit anhören muß, dachte ich, warum gehe ich nicht hinüber und schaue es mir an? Oder mache am besten gleich mit? Aber ich schloß nur die Augen und stellte es mir vor.

Am nächsten Tag fuhr ich nach Frankfurt. Isabella hatte

gesagt, ich solle bei Heribert klingeln und ihm Grüße von ihr ausrichten, das war für mich wie ein Befehl.
Bevor ich auf die Autobahn fuhr, nahm ich wieder einen Anhalter mit. Ich war auf einmal sehr offen für alle Welt. Ich interessierte mich für sie und ging davon aus, daß sie sich auch für mich interessierte. Durch mein Leiden – die Wunde war frisch und brannte wie Zunder – gingen die *Verholzungen*, die ich in den Jahren mit Antonia erfahren hatte, in Flammen auf, und was darunter zum Vorschein kam, war ein anderes Ich oder überhaupt erst ein Ich. Vorher hatte ich immer nur *wir* gesagt, *wir* haben dies gemacht, *wir* haben jenes gemacht, *wir* sind der Ansicht und *wir* denken, daß. Es fiel mir so schwer, ich zu sagen, wie es einem Blinden, der durch einen Schock sehend wird, schwerfallen mag, seine Augen an den ersten Sonnenstrahl zu gewöhnen. Aber zugleich staunte ich darüber und genoß es, mich so lebendig zu fühlen.
Der Anhalter, ein junger Mann im Jeansanzug, sagte, er komme aus Hamburg. Er sei vor ein paar Tagen zu früh von einer Nachtschicht nach Hause gekommen und habe seine Frau mit ihrem Liebhaber im Bett angetroffen. In flagranti. Nein, er habe den Nebenbuhler nicht vermöbelt, auch seine Frau nicht, er habe nur die Tür wieder zugemacht und sei zu einem Freund gegangen. Dann habe er drei Tage gesoffen und sich entschlossen abzuhauen. Er wolle nach Marseille und von dort aufs Schiff, um zur See zu fahren. Ich kam nicht auf die Idee, ihn zu fragen, warum er nicht gleich in Hamburg aufs Schiff gegangen war. Ich war zu sehr damit beschäftigt, seine Geschichte und vor allem die Tatsache, daß er sie mir erzählte, ausgerechnet hier, ausgerechnet jetzt, *auf die Reihe zu kriegen*. War es Zufall? Oder ein Zeichen für irgend etwas? Ich hielt es aber auch für möglich, daß der junge Mann mir auf

den ersten Blick angesehen hatte, daß ich ein Betrogener war und daher die Geschichte von der Frau und dem Liebhaber erfunden hatte. Fehlte nur noch, daß er sagte, der Liebhaber heiße Hieronymus. Trotzdem empfand ich eine solche Sympathie für ihn, daß ich ihm beinahe vorgeschlagen hätte, mit ihm nach Marseille zu fahren und in See zu stechen. Was hatte ich schon zu verlieren? Antonia? Mein Studium? Isabella? Ja, vielleicht. Auf jeden Fall mußte ich jetzt zu Heribert und ihm die Grüße ausrichten.

Ich setzte den Tramper an einer Raststätte ab. Er fragte, ob ich einen Zehner hätte.

»Nein«, sagte ich, »nur einen Fünfziger.«

»Okay«, sagte er, »dann nehme ich den.«

Ich irrte lange in Frankfurt umher, bevor ich das Haus fand, in dem Heribert wohnte. Altbau, Hochparterre. Eine Frau öffnete die Tür und sagte, *der Heribert* sei nicht da. Sie wisse nicht, wann er wiederkomme. Damit hatte ich nicht gerechnet. Ich war davon ausgegangen, daß er schon auf mich gewartet hatte und mich nun mit offenen Armen empfangen würde, um seiner Freundschaft zu Isabella und um meiner Geschichte willen, die doch bitte sofort zu erzählen er mich neugierig und schon ungeduldig drängen würde. Statt dessen diese Frau, die nicht einmal die Tür ganz aufmachte. War ich ein Hausierer? Hatte ich einen Zettel durch den Briefschlitz gesteckt? Ich war ein Freund von Isabella! Ich hatte eben noch mit dem berühmten Bernhard Engel gesprochen! Ich war ein Genosse! Wieso sah sie mir das nicht an?

Ob ich hier auf ihn warten könne? fragte ich mit nun schon weinerlicher Stimme.

Nein, aber ich könne es ja später nochmal versuchen. Gegen Abend.

Ich hatte keine Lust, es später nochmal zu versuchen. Ich hatte auch keine Lust, mir Frankfurt anzuschauen. Römer, Paulskirche und Goethehaus waren mir egal. Ich hatte nicht mal Lust, ins Bahnhofsviertel zu fahren und mich nach einem Pornokino umzusehen. Wollte ich nicht mehr vergessen? Offenbar nicht. Ich wollte reden, reden, *ich* sagen und den Trennungsschmerz lindern, indem ich die Geschichte dieses Schmerzes wieder und wieder erzählte. Ich war süchtig danach, von Antonia und mir zu reden, immer nur von ihr und mir. Aber bis morgen nachmittag, bis ich wieder bei Bernhard Engel Tee trinken und Zigaretten rauchen durfte, gab es kein Ohr mehr, das bereit gewesen wäre, mir zuzuhören. Ich hätte natürlich in eine Kneipe gehen und den Wirt vollquatschen können, aber so heruntergekommen war ich noch nicht. Ich hatte ja auch darauf verzichtet, dem Tramper meine Geschichte zu erzählen. Aus Stolz. Ich wollte mich nicht mit ihm gemein machen. Mein Leid war einzigartig, das fühlte ich, es hatte mit dem seinen nichts zu tun. Meins war die *Tragödie*, seins die *Farce*.
Ich fuhr zurück zur Autobahn und mietete mich in einem Fernfahrerhotel ein. Nach dem Essen ging ich aufs Zimmer und schrieb ein paar Seiten in mein Tagebuch. Dann ging ich hinunter in den Fernsehraum, setzte mich zu den Fernfahrern und schaute mir ein Fußballspiel an, DFB-Pokal oder Europacup. Es war ja Mittwoch.

Was erwartete ich von dem Genossen Bernhard? Einen Zauberspruch? Einen Liebestrank? Ein unfehlbares Mittel, das mich wieder mit Antonia zusammenbrachte? Nun, was auch immer, er war älter, er war weise, er war ein Genosse (also ein guter Mensch), er war Psychoanalytiker, und wenn mir je-

mand raten und helfen konnte, dann war er es. Mit den Genossen aus unserer Gruppe wollte ich nicht über Antonia und mich reden. Ich wollte unser *Image* als Traumpaar nicht zerstören. Ich fühlte mich auch als etwas Besseres. *Königskinder*, Engel hatte schon recht. Ich hätte das nie zugegeben, aber insgeheim fühlte ich mich den anderen aus der Gruppe überlegen, nicht aufgrund irgendwelcher Verdienste, einfach so, vielleicht weil ich schon in meiner Kindheit immer durch *den Betrieb* meines Vaters gestapft war und mich als Chef gefühlt hatte. Man brauchte nichts dafür zu tun, man wurde da hineingeboren. Bernhard Engel war auch etwas Besseres. Aufgrund seiner Erfahrung, seines Alters und wegen seiner Prominenz. Dadurch, daß ich jetzt zu ihm fahren und *Du* oder *Genosse* oder *Bernhard* sagen konnte, fühlte ich mich erhoben, ja beinahe erhaben. Ich fing gerade erst an, allein in die weite Welt hinauszugehen, und schon unterhielt ich mich mit einem der berühmtesten Genossen unseres Landes. War ich *prominentengeil*? Wahrscheinlich.
Es war aber auch inspirierend, mit ihm zu sprechen. Doch ja, als ich ihm Donnerstag gegenübersaß, sprudelte es aus mir heraus wie beim ersten Mal, und wenn er mich unterbrach und in der ihm eigenen Art mit großer Geste und von bedeutungsschweren Pausen unterbrochen etwas sagte oder fragte, dann wußte ich darauf so viel zu antworten, daß ich immer nur besorgt war, die Zeit der neuartigen Gedanken und Einsichten könne ein Ende haben, indem er auf die Uhr schaute und sagte, daß er mich leider wieder vor die Tür setzen müsse. Das tat er auch nach zwei, drei Stunden, aber nicht ohne mir ein überraschendes Angebot zu machen. »Wie wär's, wenn du mal eine Woche zu mir kämest«, sagte er, »oder, sagen wir, zehn Tage. Allein oder mit Antonia. Wir

könnten dann die ganze Sache gründlich durcharbeiten, jeden Tag ein paar Stunden. Du – oder ihr – könntet auch bei mir wohnen, Platz habe ich genug. Überleg es dir. Oder überlegt es euch beide. Es wäre besser, wenn ihr beide kämet, sonst bekomme ich nur ein sehr einseitiges Bild und kann entsprechend auch nur einseitig raten.«
Eine ganze Woche oder gar zehn Tage in einer Wohnung mit diesem Mann –, das war nun wirklich eine verlockende Perspektive! Ja, sagte ich, gern würde ich kommen, jederzeit, und Antonia würde ich auch fragen, ob sie mitkommen wolle, ich sei aber davon überzeugt, daß sie das wolle, ich könne es mir eigentlich gar nicht anders vorstellen.
»Nun, vielleicht fragst du sie erstmal«, sagte er. Außerdem ginge es sowieso nicht jetzt gleich oder *jederzeit*, sondern erst in einem Vierteljahr, wenn die Wintersemesterferien begonnen hätten, also Mitte Februar. Und bis dahin könne ja noch viel passieren.

Ob eigentlich so etwas wie Rache an Antonia oder gar Sadismus hinter meinem Entschluß, für eine Woche wegzufahren, gestanden habe? fragte Isabella, als ich wieder in Berlin war. Ich war gleich zu ihr gefahren, weil die Woche noch nicht um war. »Sadismus, ja, schon möglich«, sagte ich. Ich hatte mir angewöhnt, immer ein bißchen was zuzugeben, wenn die Leute mir dunkle Motive unterstellten. Das nahm ihnen den Wind aus den Segeln.
Ich hätte aber doch gesagt, ich wollte wegfahren, damit Antonia sich ungestört mit Hieronymus treffen könnte? sagte Isabella. »Ja, sicher, ich muß ja nicht immer dabeisein, wenn sie mit ihm *bumst*.«
»Sie bumst aber gar nicht mit ihm.«

»Woher weißt du das?«
»Ich habe sie gestern im Frauenforum getroffen, und sie war furchtbar unglücklich.«
»Aber doch nicht meinetwegen?«
»Warum denn sonst?«
Ich konnte es nicht glauben. Wenn Antonia um meinetwillen litt, dann war ja alles gut! Dann konnte ich nach Hause fahren und weiter mit ihr zusammenleben. Ich bedauerte allerdings, daß der Umschwung so schnell kam, weil ich mir ja auch Hoffnung auf Isabella gemacht hatte. Ich hatte Lust, bei ihr zu bleiben und in ihrem Funktionsraum mit ihr zu schlafen. »Du kannst natürlich heute nacht hierbleiben«, hatte sie gesagt, »aber ich bin mir nicht sicher, ob du das tun solltest.« Sie trug Jeans und eine rote Lederjacke, die zu ihren Haaren prächtig paßte, und wenn ihr Hintern auch ein wenig flach war, so reizte mich doch ihr hexenhaftes Kichern und der verschmitzte Blick, mit dem sie mich zugleich verschwörerisch und prüfend anschaute. Ich fragte mich, ob es ihr mehr gefallen würde, wenn ich jetzt sagte, ich liebe dich, es ist mir egal, ob Antonia leidet oder nicht, sie hat mich ja auch nicht gerade schonend behandelt, oder wenn ich mich *betroffen* darüber zeigte, daß Antonia so litt, und sofort nach Hause fuhr. Ich dachte dann, das letztere müsse ihr mehr gefallen, gerade so, als hätte eine *frauenbewegte* Frau grundsätzlich und im allgemeinen ihre Freude daran, wenn ein Mann seiner Frau treu sei. Es kann aber sein, daß ich die Frauenbewegung und die von ihr beschworene Solidarität ein bißchen überschätzte. Jedenfalls verzichtete ich auf die mir angebotene Nacht im Funktionsraum und fuhr zu Antonia.
Sie war wirklich sehr unglücklich. Sie habe viel geweint, sagte sie, und man sah es ihr an. Sie war auch froh, daß ich wieder

da war, und daher war ich auch froh. Ich war es allerdings etwas weniger, als ich erfuhr, warum sie so unglücklich war. Sie hatte am Montag, gleich nachdem ich weggefahren war, Hieronymus angerufen und gefragt, ob sie sich sehen könnten. Vielleicht irgendwo im Café? Er könne aber auch zu ihr kommen, ich sei gerade weggefahren und –

»Ha noi«, hatte er gesagt. Er habe keine Zeit.

Dann vielleicht morgen?

Ha noi, er wolle sie überhaupt nicht wiedersehen. Die ganze Sache habe ihn angeekelt, und er habe keine Lust, noch unnötig daran erinnert zu werden. *Ade-le.*

»Er hat einfach aufgelegt«, sagte sie und weinte wieder. Sie konnte sich überhaupt nicht beruhigen. Noch nie sei sie von einem Mann so gedemütigt worden, nicht einmal von Jan-Peter Gruhl, obwohl der sie betrogen und sogar geschlagen habe. Aber so wie jetzt sei sie noch nie von einem Mann in ihrem Stolz verletzt worden. Was dieser Kerl sich einbilde! Wer er denn sei! Und so weiter. Sie war wirklich sehr unglücklich, aber Isabella hatte die Sache falsch interpretiert. Ich hatte auf meine Funktionsraumchance verzichtet, und nun saß ich da und sollte Antonia darüber hinwegtrösten, daß Hieronymus sie schlecht behandelt hatte! Geschieht ihr recht, dachte ich, geschieht ihr ganz recht. Aber anstatt das laut zu sagen, hörte ich mir ihr ohnmächtiges Wutgeheul an und nickte verständnisvoll mit dem Kopf oder schüttelte ihn verständnislos, je nachdem, ob von ihr oder von ihm die Rede war.

Später sublimierte Antonia ihre Wut, indem sie einen Leserbrief schrieb, der sich kritisch mit den von Hieronymus in unserer Zeitschrift veröffentlichten Thesen über die *Schdalinischde* befaßte. Sie zeichnete mit einem Pseudonym und schickte den Brief an Tom als den Herausgeber. Die ganze Gruppe war hellauf begeistert darüber, einen so gut formulierten, klugen Leserbrief bekommen zu haben, vor allem Andreas jubelte und überschlug sich förmlich, während ich dabeisaß und nickte und Antonias Geheimnis wahrte. Sie hatte extra einen androgynen Namen gewählt, weil niemand wissen sollte, ob ein Mann oder eine Frau dahintersteckte. Hieronymus wurde übrigens bald darauf von seiner Frau verlassen. Sie brannte mit einem Liebhaber durch und gab nicht einmal ihre neue Adresse an. Hieronymus litt wie ein Märtyrer darunter, und sein Leiden bekam wahnhaft-groteske Züge. An einer Demonstration, bei der die anderen Genossen Transparente mit der Aufschrift »Amis raus aus Vietnam« oder »USA-SA-SS« mit sich herumtrugen, beteiligte er sich mit einem an eine Holzlatte genagelten Schild, auf dessen Vorderseite stand »Susanne, wo bist du?« und auf der Rückseite »Ich liebe dich«.

In derselben Nummer der *Schwarzen Noten*, in welcher der Leserbrief eines oder einer gewissen *Kim Sager* erschien, glänzte Antonia wieder mit einem eigenen Essay. Diesmal ging es um die Geschlechterrollen. Antonia behauptete, es finde eine Angleichung statt. Die Frauen würden immer burschikoser, die Männer immer zärtlicher und einfühlsamer; die Männer ließen sich die Haare wachsen, die Frauen ließen sie sich stutzen. Und wenn *frau* einen Hintern in Jeans sähe, dann wüßte sie oft auch nicht mehr, ob da ein Männer- oder Weiberarsch drinstecke. Bei der Beschreibung der burschikosen Frau *mit dem raumgreifenden Schritt* hatte Antonia, wie sie sagte, an Wiltrud gedacht, bei der des *neuen Mannes* an mich. Ich fühlte mich dadurch auch noch geschmeichelt.

Ende des Jahres, zwischen Weihnachten und Sylvester, bekamen wir – ich meine unsere *Gruppe* – Besuch von zwei Genossen aus Frankfurt, die mit uns diskutierten und uns ein paar Artikel anboten, darunter einen über *Ökologie*. Keiner von uns hatte das Wort je gehört. Umweltschutz ja, Ökologie noch nicht. Einer der beiden Frankfurter, ein blonder Mann mit dunkler, einschmeichelnder Stimme, der mich auf Anhieb an »Ras« Kolnikow erinnerte, rief abends noch mal an. Ich war am Telefon. Er wolle mit Antonia sprechen. Ich rief Antonia und gab ihr den Hörer. Ob er sich mit ihr treffen könne? Allein?

Antonia sagte ja.

Wenn sie sich schon dauernd mit anderen Männern trifft, dann will ich es wenigstens nicht immer mitkriegen, dachte ich. Das war maßlos übertrieben, weil sie sich ja nicht *dauernd* mit anderen Männern traf, aber davon abgesehen war es ein erlösender Gedanke. Wenn ich nicht dagewesen wäre, als der Frankfurter anrief, hätte es mich auch nicht quälen können, egal, ob meine Eifersucht berechtigt war oder nicht. Ich rief Tom an und fragte, ob ich für eine Weile in seiner Wohngemeinschaft unterkommen könne. Er sagte ja. Ich bekam die ehemalige Mädchenkammer, genauso wie vor ein paar Jahren bei Werner Hirschkeul, nur daß ich sie jetzt ganz für mich allein hatte.

Durch den Wohnungswechsel nahm meine Eifersucht ab. Ich fing sogar an, es zu genießen, daß ich mich nun auch gelegentlich mit dieser oder jener Frau treffen konnte, obwohl natürlich – von Isabella abgesehen – keine von ihnen eine *echte Alternative* zu Antonia gewesen wäre.

So war eigentlich ein Arrangement gefunden, mit dem sich eine Weile hätte leben lassen können. Ich konnte natürlich nicht ewig in dem sechs Quadratmeter großen Kämmerlein hausen, aber daran war auch gar nicht gedacht. Vielleicht würde ich zu Antonia zurückgehen. Vielleicht würde ich mir eine eigene Wohnung suchen. Auf jeden Fall ging es mir erstmal besser, und Antonia sah sogar ein, daß ich den Abstand zu ihr brauchte, auch wenn sie lieber beides gehabt hätte: mich als Quasi-Ehemann zu Haus und zugleich die Freiheit, mit allen Frankfurtern dieser Welt Wein oder Bier zu trinken.

DIE VERTAUSCHTEN KÖPFE

War es eigentlich noch nötig, eine Woche oder gar zehn Tage nach Göttingen zu fahren und meinen oder unseren *Fall* mit dem Genossen Bernhard Engel *zu wiederholen und durchzuarbeiten*?

Es hatte einen kleinen Briefwechsel mit ihm gegeben. Er hatte die Tage genannt, an denen ich oder wir zu ihm kommen könnten, und angedeutet, wie er sich den Aufenthalt vorstelle:

»Wir würden daran festhalten, daß zwei Stunden am Tag der analytischen Arbeit vorbehalten sind – was nicht bedeutet, daß wir nicht auch zu anderen Zeiten über anderes reden würden. ›Analytische‹ Arbeit wiederum würde nicht zwangsläufig orthodoxe Analyse bedeuten – eher im Gegenteil. Wir haben es allerdings bei Deinem Besuch versäumt, über materielle Aspekte der Sache zu reden. Denn diese 16 oder 18 Stunden gemeinsame Arbeit entziehen sich der ›Kategorie der Unentgeltlichkeit‹ (deren Schwinden Peroux zu Recht beklagt). Überlegt Euch bitte diesen Punkt und ruft mich an, damit wir darüber reden können.

Ihr würdet in diesen Tagen ein Zimmer zum Schlafen & ein großes Arbeitszimmer – mit Schreibmaschine – vorfinden (allerdings das letztere von meinem Arbeitszimmer nur durch eine Schiebetür getrennt). Übereinkommen müßten getroffen werden hinsichtlich der Musik (wenn allein, spiele ich ziemlich viele Platten) und des Telefons. Es war angenehm, Dich in Göttingen zu sehen. Euer . . .«

Fünfhundert Mark für zehn Tage Therapie – das war nur

angemessen oder, um es deutlich zu sagen, geradezu spottbillig. Ein Dumpingpreis, ein Super-Sonderangebot, ein Analyseschnäppchen. Es gab zwar eine Stimme in mir, die sagte, was willst du noch da, du brauchst es doch nicht mehr, du hast inzwischen selber einen Weg gefunden, aber ein ganzer Chor von anderen Stimmen flüsterte, ach komm, fahr trotzdem hin, es war so interessant und anregend, mit diesem Mann zu sprechen, es ist auch eine Ehre, zehn Tage unter seinem Dach zu wohnen, es gäbe viele, die dich darum beneiden würden! Und wenn du mit Antonia zusammen hinfährst, dann kommt vielleicht sogar dabei heraus, daß ihr euch besser versteht und du nie wieder eifersüchtig sein mußt. Vielleicht wirst du sogar der neue Mensch!

Ich fragte Antonia, ob sie mitkäme. Sie sagte nein, sie habe *keinen Bock auf Therapie.*

»Aber er ist wirklich sehr nett.«

»Schon möglich, aber zehn Tage in meiner Seele herumwühlen zu lassen, das ist nichts für mich.«

»Tu's mir zuliebe. Ich bitte dich darum.«

»Also gut, wenn du unbedingt willst . . .«

Ach, war das ein Genuß und eine Freude mit diesem großen Mann dieselbe Luft zu atmen, auch wenn sie fürchterlich verqualmt war, weil er genauso viel rauchte wie ich. Er habe mehrfach versucht, es sich abzugewöhnen, sagte er mit seiner dunklen, etwas bedeckt klingenden Stimme, aber bei jedem dieser Versuche sei er in so schwere Depressionen verfallen, daß er sich gesagt habe, lieber lebe ich zehn Jahre weniger und habe meine Freude am Dasein, als daß ich mich bis ins hohe Alter mit diesen Depressionen herumquäle.

Den Spruch merke ich mir, dachte ich, und bei der nächstbesten Gelegenheit sage ich ihn so, als wäre er von mir. Ich war mir allerdings nicht sicher, ob ich ihm dieselbe Bedeutungsschwere würde verleihen können.
Er habe sowieso nicht mehr lange zu leben, sagte Bernhard Engel. Die Ärzte prophezeiten ihm seit Jahren das Ende. Zwei von ihnen seien allerdings inzwischen selbst gestorben. »Ja, Gott spielt eben sein eigenes Spiel«, sagte er und lachte über die Ärzte und über die Komik seines angekündigten Todes. Er war ein Genießer, das verband ihn mit Antonia, die auch auf eine so beneidenswerte Weise genießen, schwelgen und schwärmen konnte. Er war auch ein guter Koch. Schon am ersten Abend gab es *Tagliatelle mit Steinpilzsauce*, dazu einen roten Burgunder, einen *Beaune*, und hinterher eine selbstgemachte *Zabaglione*, der Antonia mit ihrem ganzen Repertoire von »Ahh« und »Mmhhm« und »Köstlich« und »Oh, wie lecker!« zusprach. Begleitend zum Essen – oder nein, schon während des Kochens in der Küche – führten wir die anregendsten Gespräche. Was konnte er nicht alles erzählen! Und was konnten wir ihm nicht alles erzählen! Unser ganzes Leben sozusagen, wenn es möglich und die Zeit dazu gewesen wäre. Vom Theater, von unserem Training, von Gurke, Krepp und Bernhard Fux, von der immanenten Kritik und unserer Zeitschrift, die er ja schon kannte, und natürlich auch von unserer Gruppe einschließlich Tom, den wir liebevoll den Stalin unserer Gruppe nannten. Ja, wenn man erstmal damit angefangen und ein aufmerksames Ohr gefunden hat, dann kommt man leicht vom Hundertsten ins Tausendste, und alles wird auf einmal wichtig und bedeutend nach dem Gesetz der freien Assoziation, und die nimmt ja kein Ende, nie, niemals!

Wir trennten allerdings – oder bemühten uns doch zu trennen – zwischen dem Gespräch *unter Genossen* und den Stunden der eigentlichen Therapie, also der *Arbeit*. Und seltsam, immer war ich es, der sich als therapiebedürftig darstellte und auch so behandelt wurde, niemals Antonia. Ich redete von mir, von meiner Eifersucht, von den Personen und Erlebnissen, die möglicherweise damit zu tun hatten, von Vater, Mutter, Bruder, Schwester, von Kindheit, Pubertät und frühem Mannesalter –, wohingegen Antonia nicht die geringste Neigung verspürte, irgend etwas Seelisches von sich preiszugeben. Sie hatte es aber auch nicht nötig. Ich war der Leidende, nicht sie.

Aber war ich es nicht auch nur auf eine gespielte Weise, die meiner Situation außerhalb dieses klinischen Raums gar nicht mehr entsprach? Hatte ich nicht durch den Wohnungswechsel einen Weg gefunden, mit meiner Eifersucht so *umzugehen*, daß ich kaum noch darunter zu leiden hatte?

Andererseits, so könnte man sagen, wenn jemand krank spielt, dann ist er es auch; das Verlangen, Krankheit darzustellen, ist selbst schon krank. Ich glaube aber, ich habe mich damals nur deswegen noch einmal in den Bedürftigen, der ich drei Monate zuvor gewesen war, zurückversetzt, weil ich das Angebot, zehn Tage mit diesem großen und gütigen Mann zusammenzusein, so verlockend fand. Der Grund dafür war nicht nur Neugier oder das Verlangen, mit der Prominenz des anderen zu renommieren, es war auch, wie er gesagt hätte, *ein Stück weit* Liebe.

Und dennoch, obwohl die Kette der Assoziationen endlos war, kam ich nach fünf Tagen zu der Ansicht, daß irgendwer und notfalls ich einen Schlußpunkt setzen müsse. Es ging nicht mehr so weiter. Es wurde unerträglich brenzlig oder spannungsgeladen, es wurde immer zweideutiger und verwirrender. Wer war der andere? Noch immer Therapeut? Schon Freund? Oder Rivale? Denn ja, es konnte mir natürlich nicht entgehen, daß nicht nur seine Kochkünste Antonia beeindruckten, auch was er sagte, gefiel ihr gut. Und ebenso, was sie selbst zu sagen hatte und was ihr in den Sinn kam, wenn sie mit ihm sprach. Er *inspirierte* sie. Und war es nicht auch so, daß in den Pausen, also außerhalb der eigentlichen *Arbeit*, nur noch die beiden auf das Angeregteste zu plaudern und zu debattieren nicht müde wurden, während ich nach alter Gewohnheit schon wieder einfach nur noch dasaß, lächelte und schwieg?

Aber nein, Rivale war er nicht und konnte es nicht sein, er war ja Therapeut und außerdem in einem Alter und in einem Zustand, der für Antonia jenseits der Grenzen des Begehrenswerten liegen mußte. Ich konnte zwar auch keine Liegestützen mit einem Arm, hätte es aber ohne weiteres auf zehn einfache gebracht, während er, soviel war sicher, zu keiner einzigen mehr imstande gewesen wäre. Aber, obwohl er kein Rivale war oder sein konnte, wurde die Atmosphäre so dicht und schwül und klebrig, daß es kaum noch zu ertragen war.

»Ich bin am Ende«, sagte ich am Abend des fünften Tages, »ich glaube, wir sind durch. Ich weiß jetzt, was zu tun ist. Und wenn ich es nicht weiß, dann weiß ich doch, daß ich es allein wissen muß. Ich würde gern morgen abfahren, aber –« Ich schaute Bernhard Engel an.

»Aber?«

»Ich weiß nicht, ob Antonia mitkommt.«

»Warum fragst du sie nicht?«

Gute Idee, dachte ich, warum frage ich sie nicht? Aber als ich

es tat, geschah es in einem so gestelzten und formellen Ton, daß ich mir ziemlich albern dabei vorkam.
»Ja«, sagte sie leise, »ich komme mit.« Und dabei schaute sie den großen, gütigen Mann mit diesem wehmütig leuchtenden oder leuchtend wehmütigen Blick an, den ich an ihr so liebte. Er tat mir in diesem Augenblick sehr leid. Wenn ich zwei Antonias hätte, dachte ich, dann würde ich ihm eine abgeben.

Am nächsten Morgen atmete er schwer, konnte kaum sprechen und sagte, er habe in der Nacht einen Herzanfall gehabt. Wir hatten unsere Sachen schon gepackt und wollten abfahren, aber man konnte den Kranken ja nicht einfach seinem Schicksal überlassen. Vielleicht ist es jetzt soweit, dachte ich. Vielleicht stirbt er jetzt. Ich ließ die Koffer stehen und fuhr ihn ins Krankenhaus. Die Untersuchung dauerte nicht lange. Dabehalten wollte man ihn nicht. Er brauche äußerste Ruhe und Abgeschirmtheit, berichtete er mir, als wir wieder im Auto saßen, er müsse sich ins Bett legen, dürfe nicht ans Telefon gehen und sich vor allem nicht aufregen. Jede noch so kleine Beunruhigung könne das Ende bedeuten. »Aber das Ende ist ja immer nah«, sagte er bedeutungsschwer und lachte. Dann stellte er, mehr für seine eigenen als für meine Ohren, gewisse Überlegungen darüber an, wen er möglicherweise bitten könne, ein paar Tage zu ihm zu ziehen, um für ihn zu sorgen. Einkaufen, das Telefon bedienen, ihm den Kräutertee ans Bett bringen. Aber immer, wenn er einen Namen genannt hatte – auch Charly und Walter waren darunter –, schüttelte er den Kopf und sagte, »nein, der hat so eine rostige Stimme, den könnte ich auf Dauer nicht ertragen«, oder »nein, die verbreitet immer eine solche Hektik um sich herum, daß ich sofort

die nächste Herzattacke kriegen würde«, oder »wenn der nur nicht so stinken würde, aber dieser Mensch hat einen Körpergeruch – ich weiß gar nicht, wie seine Frau es mit ihm aushält, wahrscheinlich hat sie keine Nase. Es gibt ja Menschen, die ohne Geruchssinn auf die Welt kommen, wußtest du das?«
Als er wieder im Bett lag, wußte er noch immer nicht, wer ihn pflegen könnte, und schließlich – da wir ja ursprünglich sowieso zehn Tage hatten bleiben wollen, schlug ich vor, noch ein paar Tage draufzusatteln, bis es ihm wieder besser gehe. Antonia stimmte nach einigem Zögern zu. Sie kochte den Kräuter- und bald auch wieder schwarzen Tee, ich kaufte ein, ging zum Telefon und wimmelte die Leute ab. Abwechselnd saßen wir am Krankenbett und versuchten, den großen Mann ein wenig aufzuheitern, ohne ihn zu beunruhigen oder gar aufzuregen. Ich glaube, das gelang auch. Schon am nächsten Tag atmete er leichter und lag gütig lächelnd, mit fast heiterer Miene, in dem großen, weißen Bett und plauderte mit Antonia, wobei er sogar manchmal ihre Hand hielt und ein wenig streichelte.
Am dritten Tag kam Antonia auf die Idee, mich zum Vorlesen zu animieren. Sie machte so etwas immer gern: Wenn sie wußte, daß irgend jemand ein Kunststück beherrschte, dann forderte sie ihn auf, es vorzuführen. Sie wäre eine wunderbare Zirkusdirektrice geworden. Wahrscheinlich hatte Jan-Peter Gruhl bei jeder Gelegenheit seine Liegestütze mit einem Arm vorführen müssen. Ich mußte immer mit drei Bällen jonglieren, das war das einzige Kunststück, das ich so einigermaßen beherrschte. Und jetzt sollte ich vorlesen. Antonia behauptete auf einmal, ich läse so schön, und da ich noch nie einer Schmeichelei hatte widerstehen können, war ich sofort dazu bereit. Aber was? Was sollte ich lesen? Irgendeine Kurzge-

schichte? Oder lieber etwas Längeres? Und von wem? Der Kranke, zu dessen Unterhaltung die Sache ja gedacht war, schlug vor, etwas von Thomas Mann zu lesen. Er mochte Thomas Mann. Ich holte den Band mit den *sämtlichen Erzählungen* aus dem Regal und las im Inhaltsverzeichnis: *Der kleine Herr Friedemann – Luischen – Mario und der Zauberer – Die vertauschten Köpfe*? Wessen Wunsch war es? Meiner? Seiner? Ich glaube, seiner. Jedenfalls war es genial. Ich setzte mich an das Fußende des Bettes, Antonia saß seitlich auf der Kante, und oben prangte, von zwei Plumeaus gestützt, der Kopf des Meisters. Wenn man unsere Individualitätspunkte durch einen straff gespannten Bindfaden miteinander verbunden hätte, wäre ein sehr schönes Dreieck dabei herausgekommen. Und von einem Dreieck war auch in der Geschichte mit den *vertauschten Köpfen* die Rede. Sie handelte von zwei indischen Jünglingen, Nanda und Schridaman, die sich beide in die, wie es immer wieder hieß, »schönhüftige« Sita verliebten. Auch Sita liebte den einen wie den anderen, so daß es eine glückliche oder auch nur befriedigende Lösung der Dreiecksgeschichte nicht geben konnte, nicht einmal, nachdem es Sita durch ein Tempelwunder gelang, die Köpfe der beiden zu vertauschen, so daß der kluge Kopf von Schridaman auf dem wohlgestalteten Körper von Nanda saß, was für eine kurze Weile eine ideale Kombination zu sein schien. Am Ende gab es nur einen einzigen Ausweg aus dem Schlamassel: den Tod. Das lag natürlich nur daran, daß, wie in der Erzählung deutlich gesagt wurde, »Vielmännerei unter höheren Wesen nicht in Betracht« komme. Mit anderen Worten, die drei mußten in den Tod, weil es ein repressives Tabu gab und sie nicht auf die Idee kamen, es in einem revolutionären Akt hinwegzufe-

gen! Oder wäre das doch ein Schritt zurück gewesen? Womöglich eine *repressive Entsublimierung*?
Nun, ich hatte keine Zeit darüber nachzudenken, ich mußte ja lesen, und ich las diese ans Herz gehende Geschichte mit solcher Konzentration und einem so schönen Ausdruck, daß man die Personen wie bei einer Geisterbeschwörung oder einer holographischen Projektion im Raum zu sehen glaubte. So fühlte ich es. Da lag der kluge Schridaman mit seinem nackenlangen grauen Haar, seiner dunklen Brille und dem breiten Mund, aus dem in einem langen Leben so viel Weisheit geflossen war. Da saß die schönhüftige Sita, hielt Schridamans Hand und streichelte sie oder ließ ihn die ihre streicheln. Und während Nanda, der Naive, am Fuß des Bettes saß und las und immer weiter las, veränderte Sita ihre Stellung ein wenig und lag nun unversehens ebenfalls auf dem weißen Bette, neben Schridaman, und beider Köpfe, beider Wangen, berührten einander auf die anmutigste Weise. Nanda sah das wohl, aber er dachte bei sich, warum soll ich den beiden ihr anmutiges Wange-an-Wange-Liegen nicht gönnen, ich bin doch ohnehin damit beschäftigt zu lesen, ich lese gut, das hat Antonia dem Publikum versprochen, nun will ich meinem Ruf gerecht werden und nicht überhastet lesen und nicht lahm und auch das Artikulieren nicht vergessen, vor allem aber will ich mit dem Kopf ganz bei der Sache sein, damit die Geschichte so lebendig wird, als würde ich sie gerade erst erfinden.
Man stelle sich einen Schauspieler vor, der den »Faust« spielt und mitten im »Habe nun ach!« sieht, wie seine Frau im Zuschauerraum mit ihrem Liebhaber turtelt. Unterbricht er? Fällt er aus der Rolle? Schmeißt er die Vorstellung und stürzt sich auf die beiden, um sie auseinanderzureißen? Nein, der

wahre Künstler sieht die Liebenden und sieht sie nicht, so sehr ist er bei seiner Sache. Und als ob ich selbst ein solcher Künstler gewesen wäre, las ich und sah die beiden und dachte wohl in irgendeinem Eckchen meines Hirns, das geht mir eigentlich zu weit, was die da machen. Aber zugleich fand ich es auch erhebend, das Publikum, gebannt von meiner künstlerischen Darbietung, zu einer so vollkommenen geistig-seelisch-körperlichen Einheit verschmelzen zu sehen. Es kam mir in diesem Augenblick beinahe so vor, als wäre ich gar nicht der naive Nanda, sondern der kluge Schridaman oder Nanda mit Schridamans Kopf, zumal ja auch mein Mund die wunderbaren Sätze sprach, die leider nur ein anderer geschrieben hatte.

Alle Beteiligten mochten wohl bedauern, daß die Geschichte ein Ende hatte und die mystische Einheit von Vorleser und Publikum wieder in die profane Dreiheit von zwei Männern und einer Frau zerbrach. Antonia löste sich aus der Umarmung mit dem kranken Mann, der aber doch schon wieder ganz kregel wirkte, und dieser bat nun mit einer freundlich einladenden Geste mich, sich eine Weile zu ihm zu legen. Ich nehme an, er wollte mir bedeuten, daß der Platz an seiner Seite nicht Antonia allein vorbehalten bleiben solle, sondern auch mir zur Verfügung stehe. Es war ein Versuch des Ausgleichs, der Versöhnung oder, da eine Entzweiung ja gar nicht stattgefunden hatte, eine vorbeugende Geste. Aber sie bewirkte das Gegenteil. Anstatt den Riß zu verhindern, wies sie mit aller Deutlichkeit auf die verwundbare Stelle hin. Ach so, dachte ich, du denkst, du bist zu weit gegangen und willst mich jetzt im nachhinein besänftigen. Aber dazu bin ich zu stolz. Ich weiß ja, daß du mich nur pro forma an deiner Seite haben willst. Vielleicht bin ich dir sympathisch, ja, ich nehme

sogar an, du magst mich, aber was ist so ein Mögen und Sympathischfinden verglichen mit der Liebe zu Antonia? Nein, nein, Gerechtigkeit und Ausgleich kann deine Einladung nicht bringen, und wenn du dich noch so sehr darum bemühst. Oder doch? Und auf einmal kriegte ich einen Schreck, der mir durch alle Glieder fuhr. Was wäre denn, wenn der große Mann mich genauso liebte wie Antonia? Wir hatten in den vergangenen Tagen auch über Homosexualität gesprochen, und er wußte, daß ich mit einem Trauma durch die Gegend lief. Ich hatte Angst davor. Nicht davor, einem Mann gegenüber aktiv zu werden, aber doch davor, verführt zu werden und mich nicht wehren zu können. Ich hatte diese Situation in meiner Jugend einmal erlebt, und die Angst vor Wiederholung war unausrottbarer Bestandteil meiner Seele, obwohl es ewig lange her und nie zu einer Wiederholung gekommen war. Ahnte er, daß er mich mit seiner einladenden Geste eher verschrecken als versöhnen würde? Ich nehme es an. Er war ja nicht dumm, auch nicht *gefühlsdumm*, wie so viele Intellektuelle, er hatte ein gutes Gespür für Situationen und für das, was unausgesprochen in ihnen lag. Und doch war es traurig und wahrscheinlich auch verletzend für ihn, daß ich so schroff und abweisend auf seine Einladung reagierte. Ich stand auf und ging verstört ins Nebenzimmer, in dem Antonia gerade eine Schallplatte von Trini Lopez aufgelegt hatte, um sich zu den Klängen von *What have I got of my own, my own* rhythmisch zu bewegen. Warum gerade dieser Song? Wenn jemand ein Lied mit diesem Text hätte auflegen können, dann doch ich, nicht sie!
Gegen Abend bat sie mich, die Wohnung für eine Weile zu verlassen, damit sie mal mit Bernhard allein sprechen könne.
»Wo soll ich denn hin?«

»Geh irgendwohin, ins Kino oder spazieren, was weiß ich.«
»Wie lange?«
»Zwei Stunden. Mindestens.«
Ich wollte nicht mindestens zwei Stunden irgendwohin gehen, es regnete oder nieselte doch leicht, aber ich zog meinen Mantel an, schlug den Kragen hoch und begab mich ins Freie. Als ich nach ein paar Stunden fröstelnd und mit durchgeweichten Schuhen zurückkam und Antonia fragte, warum sie unbedingt mit Bernhard Engel hatte alleinsein wollen, sagte sie: »Weil ich ihn sonst nicht hätte küssen können.«
Das war sehr offen und ehrlich.
In der Nacht, Antonia schlief schon, packte ich meinen Koffer, sagte dem nur mit einem langen weißen Hemd bekleidet durch die Wohnung geisternden Genossen (er konnte offenbar auch nicht schlafen), ich führe nach Berlin zurück, und verließ – das war meine fest Absicht – Antonia für immer.

DAS MESSER IM BUCH

Ich bin für reine, rasche, klare, eindeutige Trennungen. Kein langes Hin und Her. Du liebst einen anderen? Na schön, dann wünsche ich euch beiden viel Glück! Aber komm mir nicht in vierzehn Tagen wieder und sage, du hättest es dir anders überlegt. Dafür ist es dann zu spät. Wenn einem ein geliebter Mensch stirbt, dann muß man ja auch damit fertig werden, ob man will oder nicht. Was man aber wirklich nicht will, ist, daß der Tote dauernd wiederkommt und sagt, er wisse noch nicht so genau, wo er hingehöre, ins Reich der Lebenden oder in das der Toten. Nein, das wäre der Horror. Antonia hatte nicht gesagt, daß sie mich verlassen wollte, aber ich war der Ansicht, sie hätte sich so verhalten. Ich fuhr nach Berlin und verkroch mich in unserer Wohnung. Ich wollte niemanden mehr sehen. Ich lief in den kalten Räumen umher, warf mich aufs Bett, stand wieder auf, warf mich erneut aufs Bett und wußte nicht, wohin mit all dem Schmerz. Was würde nun aus mir werden? Was aus unserer Zeitschrift? Konnte ich noch mit Antonia zusammenarbeiten? Und wenn es hieß, entweder oder – entweder sie oder ich – auf wessen Seite würde sich die Gruppe stellen, auf ihre oder auf meine? Und was war mit der Wohnung? Würde Antonia jetzt nach Göttingen ziehen und mit Bernhard Engel zusammenleben? Und wie sollte ich mich verhalten, wenn sie weiter in Berlin studierte? Würde ich es ertragen, ihr in den Seminaren oder in der Mensa zu begegnen und ihr aus der Ferne zuzuwinken oder so mit ihr zu reden, als wäre nichts geschehen? Oder sollte ich die Universität wechseln und ins Ausland gehen? Es war ja nicht nur so, daß ich vorher eine Frau hatte und nun keine mehr. Nein, ich *schämte* mich, der Verlassene zu sein. Die Scham saß an derselben Stelle, an der zuvor der Stolz gesessen hatte, der Stolz, mit einer *Klassefrau* zusammenzuleben. Aber hatte Antonia mich denn verlassen? Vielleicht hätte ich sie fragen sollen. Vielleicht hätte ich ihr die Chance geben müssen, sich zu entscheiden. Warum war ich überhaupt abgefahren? Hatte ich nicht *überreagiert*? Vielleicht war alles viel harmloser als ich gedacht hatte? Vielleicht hatte sie Bernhard Engel wirklich *nur geküßt*?

Am nächsten Morgen rief ich sie an.

»Warum bist du abgefahren?« sagte sie.

»Na, hör mal.«

»Aber ich bin doch gar nicht *gegen dich.*«

»Nein, nur zu sehr für ihn.«

»Was soll ich denn machen? Ich liebe ihn.«

»Na, also.«

»Aber ich liebe dich doch auch.«

»Dann mußt du dich entscheiden.«

»Warum?«

»Ich will dich nicht nur halb. Ich will dich ganz.«

»Ach, hör doch auf mit der blöden Mathematik. Warum mußt du immer so *ausschließlich* denken.«

»Ich weiß gar nicht, ob ich so denke, aber ich fühle so.«

»Er hat gesagt, er könnte sich auch vorstellen, *mit uns beiden* zu leben.«

»Weibergemeinschaft, ja? Altes kommunistisches Ideal.«

»Er könnte sich sogar vorstellen, mit dir zu *schlafen.*«

»Das hab ich gemerkt.«

»Warum bist du nur so feindselig gegen ihn? *Du* warst es doch, der unbedingt wollte, daß ich mit nach Göttingen komme.«

»Ich dachte, es geht um eine Therapie. Nicht um einen Hahnenkampf.«
»Es hat doch niemand voraussehen können, daß es so kommen würde.«
»Komisch, ich dachte immer, der Mensch wäre verantwortlich für das, was er tut.«
»Es war eben ein *coup de foudre.*«
Coup de foudre. Jetzt redete sie schon mit seinen Worten.
»Okay«, sagte ich, »dann ist eben Schluß.«
»Aber warum denn? *Ich liebe dich doch auch.*«
»Wenn du mich liebst, dann entscheide dich.«
»Das kann ich nicht. Das will ich auch gar nicht.«
»Ich kann in dieser Ungewißheit nicht leben.«
»Ich brauche Zeit, Benjamin, versteh das doch. Ich brauche noch Zeit.«
»Wie lange?«
»Ich weiß nicht.«
»Drei Tage«, sagte ich. »Ich gebe dir drei Tage. Mehr nicht.«
Ich weiß nicht, wie ich auf drei Tage kam. Wahrscheinlich weil es eine magische Zahl war. Drei Wünsche, drei Musen, drei Musketiere. Aber warum nicht sieben? Das war auch eine magische Zahl. Sieben Schwäne, sieben Schwaben, sieben Weltwunder. Und warum Tage, anstatt Stunden? Oder Minuten? Kaum hatte ich den Hörer aufgelegt, bereute ich es, diese Frist gesetzt zu haben. Jetzt saß ich da und konnte nichts mehr tun als abwarten, was sie mit dem anderen ausbrütete. Warum sollte sich in drei Tagen etwas ändern? Und warum zu meinen Gunsten? Und was wäre überhaupt zu meinen Gunsten? Daß sie zurückkäme? Warum überließ ich ihr die Entscheidung? Warum machte ich nicht einfach Schluß?
Ich rief noch einmal an. »Hör zu«, sagte ich, »es ist Unsinn.

Ich kann nicht drei Tage warten. Du mußt dich jetzt entscheiden.«
»Das kann ich nicht.«
»Dann tue ich es. Also, leb wohl.«
Leb wohl und nicht auf Wiedersehen. Immer genau mit der Wortwahl. Immer pathetisch.
»Das macht mich sehr traurig«, sagte sie.
»Du hast es nicht anders gewollt.«
»Doch, das habe ich.«
»Leb wohl, Antonia.«
So, nun ist wirklich Schluß, dachte ich. Endlich. Jetzt bin ich frei. Es ist besser so. Es ist besser. Ich war fast euphorisch in diesem Moment. Glücklich und frei. Bereit zu neuen Abenteuern! Aber für welche? Wegfahren? Wohin? *Frauen aufreißen*? Warum nicht? Ich zog mir meine Lederjacke an und ging aus dem Haus. Auf der Sonnenallee schaute ich mich nach Frauen um. Sie hatten alle etwas zu tun. Sie schleppten Einkaufstüten, schoben Kinderwagen, gingen Arm in Arm mit ihren Männern. Und selbst wenn ich den Mut aufbrachte, eine anzusprechen, was sollte ich mit ihr reden? Ihr von Antonia und Bernhard Engel erzählen? Mein Freiheitsgefühl ließ nach. Es reichte gerade noch dazu, am Hermannplatz eine Currywurst zu essen. Dann war ich so frei, in eine Flipperhalle zu gehen. Ich flipperte, wie ich damals mit Lenz geflippert hatte. Wenn er dagewesen wäre, hätten wir wahrscheinlich sogar Freispiele gewonnen.
In der Nacht, gegen vier Uhr, als die Lastwagen wieder über die Sonnenallee donnerten, wachte ich auf. Ich hatte gerade ein Blutbad angerichtet. Zuerst hatte ich mit Bernhard Engel gerungen, ich hatte ihm den Arm auf den Rücken gedreht, aber der Arm war wie aus Gummi gewesen, ich konnte ihn

umdrehen und verknoten, soviel ich wollte, der Engel lachte nur darüber. Dann hatte ich mit dem Messer auf ihn eingestochen. Aus seiner Brust und seiner Kehle spritzte Blut. Antonia war ihm – anders als damals bei Hieronymus – zu Hilfe gekommen. Ich stach auf sie ein, auch auf sie. Sie lagen auf dem Boden und ihr Blut mischte sich in kreisenden Strudeln. Ich konnte den Anblick nicht ertragen. Ich stieß mir das Messer ins Herz, aber ich traf nur den linken Arm. Es schmerzte, und ich wachte auf. Der Arm schmerzte immer noch. Er lag auf einem Buch, in dem ich vor dem Einschlafen gelesen hatte: »Der Fremde« von Camus. Ich wollte den Traum abschütteln, aber es gelang mir nicht. Ich sagte mir, es war ein Traum, es war doch nur ein Traum, aber ich hatte trotzdem das Gefühl, die beiden umgebracht zu haben. Als mir endlich klar wurde, daß ich es nicht getan hatte, dachte ich auf einmal, ich müßte es jetzt tun, so als wäre der Traum ein Auftrag, ein Befehl. Dieser Gedanke ergriff von mir Besitz und machte aus dem Traum einen Plan. Ich weiß nicht, wie es in einem Amokläufer aussieht, aber ich könnte mir vorstellen, daß er im Zentrum seiner Raserei ganz ruhig ist. Da ist keine Wirrnis im Hirn, keine Panik in der Brust, nur Ruhe und Entschlossenheit. Das einfache, unaufgeregte Wissen, daß man jetzt ein paar Leute umbringen müsse. So war es wenigstens bei mir. Ich wusch mich, kleidete mich an, suchte meine Papiere zusammen und ging in die Küche, um ein geeignetes Messer auszuwählen. Wir hatten eins mit einem verwaschenen Holzgriff und einer schönen, schlanken, scharfen Klinge, ein sogenanntes *Entbeinmesser*. Ich überlegte hin und her, wie ich es einstecken könne, ohne die Innentasche meiner Jacke zu zerschneiden. Schließlich fiel mir das Buch wieder ein. Ich klebte die Seiten zusammen, wartete, bis der Klebstoff

getrocknet war und steckte das Messer hinein. Dann ging ich auf die Straße und wollte mich ins Auto setzen, um nach Göttingen zu fahren. Möglicherweise hätte ich damals einen Doppelmord begangen, wenn nicht eine kleine Störung eingetreten wäre: Ich fand mein Auto nicht. Ich konnte mich nicht mehr erinnern, wo ich es geparkt hatte. Ich suchte auf der Sonnenallee, in der Weserstraße, in der Weichselstraße, umsonst. Es ist gestohlen worden, dachte ich. Sie haben es geklaut. Was soll ich machen? Zur Polizei gehen und sagen, mein Auto ist geklaut worden, ich brauche es aber, weil ich nach Göttingen muß, um einen Doppelmord zu begehen?
Auf diese Weise kam ich zur Besinnung. Was ist los mit dir? dachte ich, bist du verrückt geworden? Merkwürdigerweise begann erst jetzt, wo ich vernünftig wurde, die Panik. Den Mord hätte ich ganz ruhig begehen können, *eiskalt*, aber die Erkenntnis, daß ich drauf und dran gewesen war, so etwas zu tun, machte mich halb wahnsinnig vor Angst. Ich lief nach Hause, hastete die Treppen hoch und schloß mich ein. Du darfst nicht mehr unter Menschen, dachte ich, du bist unzurechnungsfähig. Dann wieder der Gedanke, daß ich mich umbringen müßte. Ich lief auf den Balkon, starrte vier Stockwerke hinunter und dachte: spring! Aber die Angst oder der Lebenswille waren stärker. Ich brauche Hilfe, dachte ich, ich brauche irgend jemand, der mich festhält, damit ich keine *Scheiße baue.* Ich rief in der Wohngemeinschaft von Tom an. Seine Freundin Meike war am Apparat. »Ich brauche Hilfe«, sagte ich.
»Was ist los?«
»Ich brauche irgend jemand, der mich festhält. Ich habe Angst, ich bringe mich um.«
»Kannst du's dir noch 'ne halbe Stunde verkneifen?«
»Ich weiß nicht. Vielleicht zwanzig Minuten.«

»Okay. Ich nehme mir ein Taxi.«
Schon während des Gesprächs legte sich die Panik. Als Meike da war, wunderte ich mich bereits darüber, daß ich einen solchen *Aufstand* gemacht hatte. Aber ich war froh, daß sie da war. Ich mochte sie. Sie war noch sehr jung, hatte eine zierliche, knabenhafte Figur, kurze, blonde Haare und ein hübsches Gesicht mit einem etwas wehmütigen Zug. Sie hielt meine Hand und war die Samariterin. Ich erzählte ihr, was los war.
»Du mußt hier raus«, sagte sie. »Du kannst nicht in dieser Wohnung bleiben. Du wirst hier ja verrückt.«
»Bin ich doch schon.«
»Warum gehst du nicht zu Karin und Andreas?«
»Kann ich nicht wieder zu euch kommen?«
»Das geht nicht. Wir haben Besuch. Die Kammer ist belegt.«
Wenn ich Andreas anrief, mußte ich meinen Stolz überwinden und von meiner Niederlage erzählen, von der *Schande*, daß Antonia mich verlassen hatte. Aber nun hatte ich es schon Meike erzählt, und so schlimm war es gar nicht gewesen. Auf jeden Fall hatte sie recht: Ich mußte aus der Wohnung raus, damit ich mich nicht Tag und Nacht mit Antonias Geist herumschlagen mußte.

Das Gästezimmer bei Karin und Andreas war recht gemütlich. Es gab sogar einen Plattenspieler. Allerdings spukte Antonias Geist auch hier herum. Es war genau das Zimmer, in dem sie vor ein paar Monaten mit Hieronymus Stehblues getanzt hatte. Aber sie spukte ja sowieso überall herum. Die Welt war voll von Anspielungen auf sie, genau wie in der Anfangszeit, vor sieben Jahren. Filme von *Antonioni*. Auf einem Buch der Name *Anton Reiser*. Frauen mit Antonias

Haarfarbe, Frisur, ihrer Stimme, ihren Jeans, ihren Augen, ihrem Parfüm. Auch die Handtasche, die sie vor ein paar Jahren von meiner Mutter geschenkt bekommen hatte, sah ich am Arm anderer Frauen. Ich hatte sie häßlich gefunden und mich für den Geschmack meiner Mutter geschämt, aber Antonia hatte sie begeistert angenommen und Tag für Tag mit sich herumgeschleppt.

Wenn ich in meinem Gäste- oder Krankenzimmer saß und gar nichts mehr hatte, das mich an Antonia erinnerte, dann legte ich eine Schallplatte auf, die ich mir in Göttingen gekauft hatte, einen Blues mit dem Titel *Go down sunshine, see what tomorrow bring*. Der Sänger beklagt darin, daß eine Frau mit Namen Juliet ihn nicht wiederliebe, aber, so singt er, »someday, Juliet, you'll want me as much as I want you.« Das konnte ich immer wieder hören, nicht nur, weil es von *Ken Colyer* so schön vernuschelt gesungen wurde, sondern weil ich in meinen Gedanken aus Juliet Antonia machte und mir vorstellte, daß sie eines Tages vor der Tür stehen und darum bitten würde, wieder in das Herz aufgenommen zu werden, aus dem ich sie mir gerade herausriß.

Wenn die Menschen mit irgendeinem Geschehen nicht einverstanden sind, dann empören sie sich meistens mehr über das *Wie* als über das *Was*. Wahrscheinlich ist das der erste Schritt, um sich mit dem Was abzufinden. Ich beklagte auch das Wie. Du hast mein Vertrauen mißbraucht, warf ich Bernhard Engel in einem meiner inneren Anklagemonologe vor, du hast mich mit Antonia in deine Wohnung gelockt und mir vorgegaukelt, ich könne mich dir anvertrauen, mich schutzlos machen, mein Visier herunternehmen, den Panzer ablegen, meine verwundbarste Stelle zeigen – und als ich es getan hatte, hast du zugeschlagen. Wo ist dein Berufsethos? Hast

du so etwas? Oder glaubst du, du könntest dich über alles hinwegsetzen? Stehst du über der Moral?
Aber es war nicht die Verletzung des Therapeuten-Ethos, die mich wirklich empörte. Es war das Gefühl, blind in eine Falle getappt zu sein, die Wut darüber, daß ich mich hatte hereinlegen lassen, aus Dummheit, ja, aus Hochmut. Ich hatte Bernhard Engel *als Mann* unterschätzt. Auf alle anderen war ich – wenigstens *im Prinzip* – eifersüchtig gewesen. Auf ihn nicht. Ich hatte gedacht, er kommt nicht mehr in Frage. Er ist zu alt, zu krank, zu dick. Oder, um genau zu sein: Ich hatte nicht einmal daran *gedacht*, so etwas zu denken, weil er ja sowieso nicht in Frage kam. Was mich innerlich vor Wut rasen ließ, war, daß ich ihn vor meinem geistigen Auge über meine Dummheit lachen sah, mit demselben Ausdruck, mit dem er über die Ärzte gelacht hatte, die ihm das nahe Ende prophezeit hatten und inzwischen selbst unter der Erde lagen. Es gab eine Filmszene, die mir immer wieder durch den Kopf ging. Sie spielt irgendwo im Wilden Westen. Ein Vater übt mit seinem Sohn Revolverkunststücke und gibt ihm dabei Ratschläge. »Das Wichtigste aber«, sagt er schließlich, »das Allerwichtigste ist: Traue keinem Menschen. Drehe niemandem den Rücken zu und gib nie deine Pistole aus der Hand. Jeder kann dein Feind sein. Jeder. Verstanden?« – »Ja.« – »Gut, dann gib mir jetzt deine Pistole.« Der Sohn gibt sie ihm, und der Vater schlägt ihn mit einem Fausthieb zu Boden: »Ich habe dir doch gesagt, du sollst niemandem trauen!«
So war's, dachte ich. Das war die Lehre, die er dir mit auf den Weg gegeben hat. Hart, aber einprägsam. In sportlicher Hinsicht mußte ich ihm meine Anerkennung zollen. Er hatte gewonnen, ich verloren. Und nun hieß es, nach vorn schauen und sich auf die kommenden Kämpfe vorbereiten. Die Empö-

rung über die Verletzung des Berufsethos war im Grunde nebensächlich. Sie gehörte allerdings zur Vorbereitung auf die kommenden Kämpfe.

Ich steckte mir klare Ziele. Ich wollte die *Schwarzen Noten* mit der Gruppe allein weiterführen, ohne Antonia. Ich wollte mein Studium beenden. Ich wollte eine andere Frau, möglichst natürlich eine, die ebenso schön, klug, attraktiv und *wertvoll* wäre wie Antonia. Ich fragte auch wieder bei Isabella an, ob sie sich nicht in mich verlieben wolle, und ich glaube, ich muß nun doch einmal sagen, wie lächerlich ich dergleichen *Anfragen* heute finde und wohl auch damals schon fand. Ich war überhaupt nicht in der Lage, mich wieder zu verlieben oder die Liebe einer anderen Frau zu ertragen, nicht einmal, wenn es Isabella gewesen wäre. Sie sagte aber sowieso, sie fände es nicht gut, sich auf jemand einzulassen, der gerade aus einer krisenhaften Beziehung komme, und außerdem hätte sie sich gerade verliebt. Der Mann sei zehn Jahre jünger als sie und etwas proletarisch-ungeschliffen, aber auch faszinierend, kraftvoll und ideenreich. Er sei auch *politisch sehr aktiv*, und im Bett hätte er *eine unheimliche power*, aber, naja, das hätte sie mir jetzt eigentlich gar nicht sagen wollen.
»Kann er Liegestütze mit einem Arm?«
»Wie kommst du darauf?«
»Nur so.«
»Ich muß ihn mal fragen.«
»Ist nicht so wichtig.«
»Doch, das interessiert mich jetzt.«
Als wir unseren Spaziergang am Wannsee beendet hatten – Isabella arbeitete dort draußen als Projektleiterin in einer Fortbildungsanstalt für Lehrlinge –, gab sie mir einen schwe-

sterlichen Kuß auf die Wange und sagte, sie fände es toll, daß man mit mir so gut reden könne, wir sollten uns ruhig öfter mal treffen, und ich dachte, Scheiße, ich würde jetzt lieber jemand sein, der eine *unheimliche power* hat. Derjenige, mit dem man so gut reden kann, war ich schon viel zu lange. Aber andererseits war Bernhard Engel jemand, mit dem man noch viel besser reden konnte, und der auf diese Art eben auch eine unheimliche power hatte, während ich seit Jahren daran krankte, daß ich nichts wollte oder wenigstens nichts *richtig wollte*, und wer nichts will, der hat natürlich auch keine power.
Aber ich wollte ja etwas. Ich wollte die Zeitschrift. Ohne Antonia. Ich trommelte die Gruppe zusammen – Olaf und Andreas wohnten ohnehin mit mir zusammen oder ich mit ihnen, also mußten wir nur noch Tom und Hanna herbeitrommeln – und erzählte ihnen, wie es mir in Göttingen ergangen war. Natürlich betonte ich, schon aus strategischen Gründen, das Unmoralische und Verwerfliche der Handlungsweise des *Herrn* Engel, dieses vermeintlich guten Menschen, dieses großen, prominenten und allseits bewunderten Linken, der das Vertrauen eines Patienten gnadenlos mißbraucht hatte. Und mit diesem Falschspieler und Fallensteller habe Antonia sich zusammengetan! Allgemeine Empörung. Gut, dachte ich, dann gießen wir noch Öl ins Feuer. Wir hätten doch in der vorigen Nummer unserer Zeitschrift einen Leserbrief veröffentlicht.
»Ja, und?«
Von einem oder einer gewissen Kim Sager, einem geheimnisvoll androgynen Namen, dem man schon von weitem ansehe, daß er ein Pseudonym sei.
»Ein Pseudonym?«

»Ja, sicher.«
»Ach so. An die Möglichkeit haben wir gar nicht gedacht.«
»Und ratet mal, wer sich dahinter verbirgt?«
Sie kamen nicht drauf. Ich erzählte ihnen von Antonia und Hieronymus, davon wie Antonia sich nach der von mir *kaputtgemachten* Liebesnacht hatte mit Hieronymus treffen wollen, und wie er sie am Telefon so brüskiert habe, daß sie sich habe an ihm rächen wollen. Ich hätte ihr zwar versprochen, das für mich zu behalten, aber jetzt fühlte ich mich an mein Versprechen nicht mehr gebunden.
Oh, war das eine Aufruhr, ein Fäusteschütteln und Wütende-Gesichter-Machen! Besonders Andreas, der sonst so stille, mathematisch-rationale kleine Mann, wußte sich vor Zorn, Wut und Enttäuschung kaum zu halten. Er watschelte aufgebracht in dem großen *Berliner Zimmer* umher und sagte immer wieder: »Ich stoße einen Freudenschrei nach dem anderen aus, weil wir einen so phantastischen Leserbrief bekommen haben, und Antonia sitzt da, lacht sich ins Fäustchen und hält uns für die größten Trottel.«
»Wieso habt ihr gedacht, daß man uns ein solches Geheimnis nicht anvertrauen kann!« rief Olaf beleidigt aus.
»Naja, Antonia nimmt uns eben nicht für voll«, nölte Hanna. Und Tom, der Stalin der Gruppe, sagte wahrscheinlich auch etwas dazu. Vorübergehend fürchtete ich, ein Eigentor geschossen zu haben, weil ich die Gruppe natürlich mit Antonia zusammen an der Nase herumgeführt und *funktionalisiert* hatte, aber da ich ein bißchen Zerknirschung an den Tag legte und nun ja ohnehin das Opfer von Antonias Machenschaften war, kriegte ich sie alle dahin, wohin ich sie haben wollte. Wir faßten den Beschluß, die Zeitschrift in Zukunft ohne Antonia herauszugeben.

Wenn einem der Trennungsschmerz das Herz zerreißt, dann muß man dauernd etwas tun. Eine Weile kann man ruhig dasitzen und lesen oder auf dem Bett liegen und zuhören, wie Ken Colyer »Go down sunshine« singt. Aber bald muß man wieder aufspringen sich in irgendein Getümmel werfen oder wenigstens ins Kino gehen, wo einen dann jede zweite Szene an die eigene Situation erinnert. Oder man muß sich mit Leuten treffen und ihnen die allerneuesten Gedanken über Antonia und Bernhard Engel mitteilen. Man kann sich aber auch eine Situation vorstellen, eine Szene der Abrechnung, in der man selbst noch einmal groß herauskommt. Zum Beispiel, indem man alles sagt, was man im Kopf und auf dem Herzen hat. Und ja, man kann sich diese Szene nicht nur vorstellen, man kann sie auch herbeiführen. Das ist dann vielleicht etwas theatralisch, aber irgend etwas muß man tun, sonst hält man den verdammten Schmerz nicht aus.
Ich fuhr noch einmal hin. Mit telefonischer Anmeldung. Es ginge um eine *Aussprache*, sagte ich. Im Gepäck hatte ich – aber nein, ich brauchte kein Gepäck, ich fuhr morgens hin und abends wieder zurück, in der Brieftasche hatte ich einen nagelneuen Fünfhundertmarkschein, den ich mir in der Filiale der *Bank für Handel und Industrie*, die bei Andreas um die Ecke lag, extra besorgt hatte, und zwei grüne Karteikarten, DIN A6, auf die ich mit Kugelschreiber allerlei Sätze oder Satzfetzen geschrieben hatte, meine Stichworte für die Aussprache. Alles, was ich den beiden unbedingt noch *ins Gesicht sagen* oder *an den Kopf werfen* mußte, bevor ich mich für immer von ihnen verabschiedete. Ich konnte die Karteikarten natürlich nicht während der Aussprache hervorholen und meine Argumente davon ablesen, das wäre nicht *souverän* gewesen. Nein, ich mußte den Text auswendig lernen und ihn

so vortragen, als fiele er mir gerade erst ein. Die Karteikarten waren nur das Netz für den Fall, daß es mir beim Anblick der beiden die Sprache verschlug, ich war ja ohnehin nicht der beste Redner, auch wenn ich mich durch das viele Wiederaufbereiten meiner Leidensgeschichte inzwischen so geschult hatte, daß Andreas, als ich ihm eines Abends in der Küche von dem Film *Themroc* berichtete, erstaunt ausrief: »Und du sagst immer, du kannst nicht erzählen! *Also ehrlich*!«

Unten im Hausflur, bevor ich die Treppen zu Engels Wohnung hinaufstieg, schaute ich mir meine Stichworte ein letztes Mal an. *Ethos des Therapeuten*, jaja, sowieso. – *Mich mit Antonia in seine Wohnung gelockt wie die Hexe Hänsel und Gretel.* – *Nicht meinetwegen, sondern ihretwegen.* Hm. Was hatte ich damit gemeint? Achso, ja. – *Therapie als Tarnung.* – *Eine linke Geschichte*! – und so weiter. Ich versuchte, mir alles einzuprägen, konnte aber vor lauter Aufregung meine Schrift nicht lesen. Egal. Ich wußte ja, was da stand.
Engel öffnete und hieß mich eintreten. Ich ging ins große Zimmer und sah Antonia. Sie hatte wieder diesen leuchtend wehmütigen Blick, den ich an ihr so liebte, der mir aber auch immer etwas unheimlich war. Ich wußte nie genau, was er bedeutete. Sie war mir so fern, wenn sie ihn hatte, und ich glaube, das sollte er auch ausdrücken. Er sagte: Es tut mir weh, daß ich dir fern bin, aber ich kann nicht anders. Er sagte: Was machst du nur für einen Unsinn, das ist doch alles gar nicht nötig. Er sagte: Du bist ein Kind, und was du machst, ist kindisch. Er sagte aber auch, daß alles, was ich ihn sagen hörte, meine eigene Projektion sei.
Ich setzte mich in einen lindgrünen Sessel und fing an. Es war von vornherein klar, daß ich hergekommen war, um *abzurech-*

nen, also fragte ich gar nicht »Wie geht's?« oder »Seid ihr glücklich miteinander?« oder »Willst du eigentlich für immer hierbleiben, Antonia?«. Ich nahm an, daß sie das wollte. Ich hatte das schon getan, als ich hier nachts meine Sachen gepackt hatte und abgefahren war. Antonia hatte Bernhard Engel *geküßt*, und ich war gar nicht auf die Idee gekommen, daß es sich dabei bloß um einen *Seitensprung* oder um *ein Abenteuer* handeln könnte. Auch kein Gedanke daran, mich auf ihn zu stürzen und ihn zu verprügeln, wie ich es mit Hieronymus getan hatte. Vielleicht hatte er mir den Kampfeswillen wegtherapiert? Aber nein, ich hatte ja gerade noch um unsere Gruppe und die Zeitschrift gekämpft. Ich kämpfte nur nicht länger um Antonia. Ich war wahrscheinlich der Ansicht, Bernhard Engel hätte mich auf dem Turnierplatz besiegt und daher gehöre sie ihm. Ich hatte zu lange miterlebt, wie gut die beiden sich verstanden, allein schon, weil er besser kochte als ich. Ich war über Hühnersalat und Zwiebelsuppe nie hinausgekommen. Antonia hatte zwar auch über meine Kochkünste geschwärmt, weil Schwärmen nun mal ihre Leidenschaft war, aber was war ein Hühnersalat gegen *tagliatelle con tartufi*? Ich fand es beinahe in Ordnung, daß sie zu Bernhard Engel überlief, ich hätte es an ihrer Stelle auch getan. Es war ja sogar ein sozialer Aufstieg. Er war prominent, er war Professor, er war *politisch bewußt*. Es ist zwar ärgerlich für die rangniedrigeren Männer, wenn die Frauen sich *nach oben* orientieren, aber warum sollten sie sich unbedingt auf die Versager kaprizieren? Nein, ich kämpfte nicht mehr um sie, ich gab mich geschlagen. Ich hatte in den vergangenen zwei Wochen allerdings – bei allem Schmerz – bereits begonnen, das Alleinsein attraktiv zu finden, das Allein-für-mich-verantwortlich-sein und das Ich-sagen, ich statt wir. Ich war lebendiger geworden, weniger träge, wacher. Nein, ich war nicht hier, um Antonia zurückzuerobern, sondern um mir einen guten Abgang zu verschaffen oder das, was ich für einen guten Abgang hielt.

Wie gesagt, es war theatralisch. Die beiden saßen auf der einen, ich auf der anderen Seite, und ich fing an, unsere Geschichte zu erzählen. Ich klagte nicht besonders an, ich erzählte nur, wie alles gekommen war. Ich erzählte die Geschichte so, als hätte Engel alles von Anfang an eingefädelt. Schon, als er in Berlin war und unsere Gruppe besuchte, habe er sich in Antonia verliebt. Dann habe er uns bei seinem Verleger wiedergesehen und gedacht: Die muß ich haben. Durch sein gütiges Gesicht, das aber nur Maske sei, Schafspelz, habe er mich in Göttingen dazu gebracht, Antonia in seine Wohnung zu locken. Und so weiter. Wahrscheinlich war auch Hieronymus von ihm ferngesteuert und nur deswegen nachts in unserem Schlafzimmer aufgetaucht, damit ich ihn verprügelte und anschließend nach Göttingen fuhr. Dieser ganze paranoide Kram stand auf meinen Karteikarten. Engel nickte zu allem und gab auf meine inquisitorische Nachfrage hin ausdrücklich zu, daß er sich schon bei seinem Besuch in Berlin in Antonia verliebt hätte. Ich machte ihn in meinem Wahn zum Magier, warum sollte er die Rolle nicht annehmen? Er war dann zwar als Therapeut ein Schwein, aber als Liebhaber umso erfolgreicher. Natürlich sei es ihm nicht leichtgefallen, sein Therapeuten-Ethos zu verletzen, sagte er, aber erstens sei das, was wir gemacht hätten, ja gar keine richtige Therapie gewesen, und zweitens sei Liebe nun mal stärker als Moral. Es habe ihn erwischt, was solle er machen. Kismet. Antonia saß dabei und sagte überhaupt nichts.

Irgendwann ging mir der Text aus. Vielleicht war ich mit allem durch, ich wußte es nicht genau, aber ich wollte mir nicht mein Leben lang Vorwürfe machen, etwas Entscheidendes vergessen zu haben. Ich stand auf und ging zum Klo. Ich setzte mich auf den Deckel und studierte meine Karteikarten. Ich glaube, ich zückte sogar einen Kugelschreiber und hakte die einzelnen Punkte ab. Ich konnte ziemlich viel abhaken, das meiste war bereits besprochen. Schade. Es war schön, mit den beiden zusammenzusein. Ich bedauerte es, daß ich nicht schwul oder »bi« war, und mit ihnen eine fröhliche *ménage à trois* eingehen konnte. Ich kam ein wenig darüber ins Träumen und saß lange so da. Es klopfte.

»Benjamin?«

»Ja?«

»Geht's dir gut?«

»Ging mir nie besser.«

»Alles in Ordnung?«

»Klar doch. Was soll sein?«

»Mach bitte keine Dummheiten.«

Ich glaube, er war nahe daran, die Tür aufzubrechen und mich vom Fensterkreuz abzuschneiden oder mir die Pulsadern zuzuhalten, oder was immer er in seiner Phantasie für geboten hielt. Das wunderte mich. Ich hatte meine Darstellung der Geschichte in einem, wie ich glaubte, weder jammernden noch anklagenden Tonfall vorgetragen, sondern mit einer fast freudigen Lust an der Darstellung selbst. Aber wer weiß, wie die Sache in seinen Ohren geklungen hatte.

Auf meinem Spickzettel war eigentlich nur noch das Kapitel »Konsequenzen« offen: 1. Die Wohnung behalte ich – 2. Antonia überläßt mir die *Schwarzen Noten* – 3. Kein Geld. »Kein Geld« bedeutete, daß ich mich an eine Abmachung, die wir irgendwann einmal getroffen hatten, nicht mehr halten wollte: Bei einer Trennung, hatten wir gesagt, wollten wir

unser Geld teilen, will sagen, das Geld, das ich aus der Firma meines Vaters bekommen hatte und noch immer gelegentlich bekam. Was jährlich überwiesen wurde, war nicht viel, aber es verlangsamte doch den Schwund des ursprünglichen Betrages. Noch immer waren rund zwanzigtausend Mark auf meinem Konto. Davon hätte ich Antonia jetzt zehn abgeben müssen, aber ich sah nicht ein, daß ich ihr auch noch Geld dafür geben sollte, daß sie mich *auf diese Weise* verließ. Es war ja nicht so, daß sie sich von mir trennte, um allein zu sein, sondern um mit Bernhard Engel zusammenzuleben, und der hatte, wie ich annahm, Geld genug. Immerhin war er Professor. Das sagte ich auch. Antonia sagte erstmal nichts dazu, sie hatte nur wieder diesen Blick. Später, in einem Telefongespräch, sagte sie mir, ich hätte sie mit meinen drei Bedingungen oder Rachemaßnahmen oder wie immer man das nennen wolle, *total enteignet.* Ich hätte sie damit Bernhard Engel in die Arme geworfen; wovon sollte sie jetzt leben, wenn nicht von seinem Geld? An *arbeiten gehen* oder *jobben* dachte sie genausowenig wie ich. Das Geld mußte eben bis zum Ende des Studiums reichen, und dann würden wir schon einen Job bekommen. Die Angst der Akademiker vor der Arbeitslosigkeit begann erst ein paar Jahre später.
Allmählich wurde es Zeit für den Schlußgag. Ich hatte noch den Fünfhundertmarkschein in der Brieftasche. Er, Engel, hätte zwar behauptet, das, was er mit mir angestellt habe, sei gar keine richtige Therapie gewesen, aber ich sei anderer Ansicht. Es sei durchaus eine Therapie gewesen, nämlich eine Schocktherapie, und obendrein eine sehr wirksame. Eine Therapie gegen blindes Vertrauen. Eine Therapie gegen Eifersucht: Bist du auf deine Frau eifersüchtig, dann suche für sie einen anderen Mann.

»Das tut der Eifersüchtige sowieso«, sagte Engel.
»Wie auch immer: Ich danke dir.«
»Keine Ursache.«
Ich stand auf und griff nach meiner Brieftasche. Engel zuckte zusammen – und auch Antonia gab sich einen Ruck, um auf dem Sprung zu sein, für den Fall, daß ich eine Pistole aus der Innentasche meiner Lederjacke hervorziehen würde. Aber es war nicht einmal ein Messer, es war wirklich nur die Brieftasche.
»Du hattest mir ja geschrieben, daß die Therapie fünfhundert Mark kosten sollte –«
»Nicht die Therapie. Nur das Essen und so weiter.«
»Das stimmt nicht. Du hast geschrieben, die 16 bis 18 Stunden würden sich der Kategorie der Unentgeltlichkeit entziehen, deren Schwinden Peroux zu recht beklagt.«
»Na schön, aber jetzt ist ja alles ein bißchen anders ...«
»Nein«, sagte ich. »Ich bestehe darauf.«
Ich nahm die Banknote aus der Brieftasche, und dabei fiel eine der beiden Karteikarten heraus. Ich bückte mich, um sie aufzuheben. Dabei fiel auch die zweite heraus. Ich kriegte einen roten Kopf und steckte die Karten schnell wieder ein. Ich glaube nicht, daß die beiden irgendein Wort darauf entziffern konnten, aber ich hatte das Gefühl, bis auf den Grund durchschaut worden zu sein. Ich riß mich zusammen und hielt Engel den Geldschein unter die Nase. »Hier. Für die Therapie.«
»Gut. Leg es dahin«, sagte er und zeigte auf den gläsernen Couchtisch, auf dem die Zigarettenschachteln, die Pfeifen und die gebrauchten Pfeifenreiniger lagen.
Ich legte den Schein auf den Tisch, ärgerte mich darüber, daß Engel so cool blieb, und verließ die Wohnung. Später erzählte

Antonia, Engel hätte gesagt, Geld könne er immer gebrauchen, und sie könnten davon ja mal so richtig schön essen gehen. Ich sagte nichts dazu, aber insgeheim bewunderte ich ihn dafür.

Mein Auftritt mochte theatralisch und sogar lächerlich gewesen sein, ich fühlte mich trotzdem gut. Ich hatte den Therapievertrag erfüllt, er hatte ihn gebrochen. Ich war im Recht, er im Unrecht. Das hatte ich mit der Zahlung deutlich gemacht. Das war natürlich furchtbar formalistisch, aber wenn einem der Boden unter den Füßen wankt, dann hält man sich an allem fest, wonach man greifen kann, auch wenn es nur Formalien sind. Außerdem hatte ich gehandelt, agiert, und die Aktion vertrieb für eine Weile die Schmerzen und lieferte neuen Stoff für Erzählungen, auch wenn ich mit dem Bericht von meiner *Abrechnung* nicht bei allen Zuhörern auf Beifall stieß.

Und damit war, so dachte ich, endgültig Schluß. Die Scheidungsformalitäten waren geregelt, Antonia war in guten Händen, ich konnte nach vorn blicken und mich einer ebenso ungewissen wie spannenden Zukunft entgegenwerfen. Die Gruppe stand geschlossen hinter mir. Wir bereiteten die nächste Nummer vor, und ich fuhr nach Frankfurt, um dort mit einem Genossen über Artikel für die übernächste Ausgabe zu sprechen. In der Frankfurter Universität fand gerade zu dieser Zeit der *Dieter-Duhm-Kongreß* statt. Der Kongreß hieß eigentlich anders, aber ein gewisser Dieter Duhm hatte ihn organisiert, und deswegen sprach alle Welt vom Dieter-Duhm-Kongreß. Es ging irgendwie um Psychologie und ganz bestimmt darum, *der neue Mensch* zu werden. Dieter Duhm hatte ein Buch mit dem Titel »Angst im Kapitalismus« geschrieben, das damals ein großer Renner war und durch den Kongreß wahrscheinlich ein noch größerer Renner wurde.

Ich besuchte ein paar Vorträge und Podiumsdiskussionen, und in den Pausen stand ich mit einem aufgeklappten schwarzen Köfferchen auf dem *Campus* und verkaufte die *Schwarzen Noten*. Ich schämte mich zunächst, als fliegender Händler dazustehen, ich kam mir dabei wie ein Bettler oder Hausierer vor, aber als mir eine Menge Exemplare abgekauft wurden, verlor sich die Scham. Bei den *Spontis* in Frankfurt, so erfuhr ich, wurde unsere Zeitschrift aufmerksam gelesen und sehr geschätzt, und wenn ich in Gesprächen durchblicken ließ, daß ich zum *Redaktionskollektiv* gehörte, begegnete man mir doch mit etwas mehr Achtung, als sie dem Hausierer oder fliegenden Händler gewöhnlich entgegengebracht wird.
Am Abend des dritten und letzten Kongreßtages wurde ein Fest veranstaltet, auf dem es zu weiteren Begegnungen kommen sollte. Ich begegnete einer hochgewachsenen, etwas fülligen Genossin mit Namen Angelika, die leider eine lila Latzhose trug, aber welche Frau tat das damals nicht. Angelika gefiel mir wegen ihres negroid gekrausten Haares und ihres ironischen und zugleich gütigen Lächelns. Warum ich ihr gefiel, weiß ich nicht, ich habe sie nicht danach gefragt, aber sie nahm mich mit nach Hause und schlief mit mir. Ich hatte große Angst zu versagen, aber es gab überhaupt kein Problem. Ich glaube sogar, wir sind der Reichschen Ideallinie ziemlich nahe gekommen, und das, obwohl wir uns so gut wie gar nicht kannten. Oder weil wir uns nicht näher kannten. Ich weiß noch, wie überrascht ich war, als am nächsten Morgen Angelikas siebzehnjähriger Sohn am Frühstückstisch saß und ich mir ausrechnete, wie alt sie schon sein mußte. Das hatte ich in der Nacht gar nicht bemerkt.
Zu Hause berichtete ich von meinen Abenteuern und genoß immer wieder aufs neue, daß niemand da war, der meine

Geschichten besser erzählen konnte als ich selbst. Ich war es, der sie erlebt hatte und ich, der sie erzählte, ich allein, ein Ich, das allein war und eben dadurch erst ein Ich. Ach, war das schön! Es war auch schmerzlich, ja, natürlich, es war nicht so, daß ich Antonia vergaß oder aufhörte, mich nach ihr zu sehnen, aber ich sehnte mich weniger danach, daß sie wirklich da wäre, als danach, daß sie mir zuschaute und mitbekäme, wie ich mich änderte, entwickelte, auflebte und freier wurde. Kuck doch mal, hätte ich gern gesagt, kuck mal, wie ich jetzt schon ganz allein einen ganzen Film erzählen kann, natürlich nicht so gut wie du, aber doch immerhin so, daß die Zuhörer nicht gähnen oder aufstehen und mich einfach sitzen lassen. Nein, sie hören mir zu, sie hören mir wirklich zu! Kuck doch mal! Mit einem Wort, ich hätte Antonia gern als *Instanz* gehabt, zu der ich ab und zu hätte nach Hause laufen können, um ihr alles nochmal zu erzählen. Und am besten Bernhard Engel dazu. Und in gewisser Weise hatte ich sie sogar als Instanz dabei, als Vorbild, an dem ich mich orientierte, besonders, wenn es darum ging, etwas mit Worten auszudrücken, mündlich oder schriftlich. Zum ersten Mal schrieb ich jetzt auch etwas für unsere Zeitschrift, einen Artikel, in dem nun auch ich irgend etwas einfach drauflosbehauptete, anstatt streng im klar umgrenzten Fahrwasser der immanenten Kritik zu navigieren. Jetzt, wo Antonia nicht mehr da war, konnte ich von ihr lernen, und *von Antonia lernen, hieß siegen lernen.* Ich war, so fühlte ich es, schwer im Kommen.
Aber, jeder Tennisspieler weiß das, wenn einem der nötige *Killerinstinkt* fehlt, kann man den ersten Satz gewonnen haben, im zweiten 5:0 und 40:30 vornliegen und trotzdem noch verlieren.
Mir fehlte der nötige Killerinstinkt.

AMOUR FOU

Das Layout der *Schwarzen Noten* wurde diesmal nicht in Neukölln gemacht, sondern in Andreas' Wohnung, in der ich mich nun schon recht heimisch fühlte. Ich wollte nicht nach Neukölln zurück. Nie mehr. Ich mußte es auch nicht. Zwar konnte ich nicht ewig im Gästezimmer von Karin und Andreas bleiben, aber für meine Zukunft war gesorgt: In Toms Wohngemeinschaft am Viktoria-Luise-Platz wurde ein großes Zimmer frei, und die Bewohner hatten beschlossen, mich aufzunehmen.

Die drei Tage, in denen wir das Layout machten – Artikel tippten, Korrektur lasen, Bilder für die Illustrationen aussuchten und mit Pritt-Stift auf die Seiten klebten, die fertigen Seiten zum Drucker brachten, der sie photographierte und uns in seiner Kreuzberger Klitsche aus Kostengründen die Filme selbst retuschieren und druckplattengerecht montieren ließ –, diese drei Tage waren immer eine aufregende Zeit. Fieberhaft wurde gearbeitet, fieberhaft und freudig, und da bei dieser Art von Arbeit niemand überfordert war, blühten auch die Mitglieder der Gruppe auf, die sonst ein wenig im Hintertreffen waren. Die Zeit des *Layoutens* war eine, in der der *Kollektivgeist* voll erwachte und bewirkte, daß alle tippten und klebten, daß es eine wahre Freude war, dabeizusein und mitzumachen. So kamen auch Genossen aus dem *Umkreis* der Gruppe herbei und wollten mithelfen, der kleinwüchsige Ludwig Kropf zum Beispiel, aber inzwischen war ich über seine Anschmeißerei so verärgert, daß ich mich entschieden gegen seinen Einsatz wehrte. Toms Freundin dagegen, Meike, wurde zugelassen und erwies sich als besonders hilfreich, wenn es darum ging, Illustrationen auszusuchen und hier und da ein Bild zu zeichnen. Sie half mir auch beim Retuschieren und Montieren in der Druckerei, und indem ich daran zurückdenke, fällt mir wieder einmal auf, wie sexy doch die Arbeitswelt ist. Während wir gebeugt über den von unten her beleuchteten Filmen saßen und mit mennigefarbener Tusche allerlei Punkte, Striche, Kleberänder oder Tippfehler wegretuschierten, hatte ich große Lust, mich auf einem der illuminierten Glastische mit Meike zu vereinigen, und ich war aus Gründen, die ich nicht benennen könnte, sogar der Ansicht, daß sie diese Lust ebenfalls hätte. Woher? War es das rhythmische Stampfen der Druckmaschinen, das uns so *antörnte* oder *anmachte*? Nun, es kam sowieso nicht dazu. Der Drucker, Herr Drechsler, hätte auch große Augen gemacht, wenn er so einen Arbeitsweltporno in seiner Fabrikhalle zu sehen bekommen hätte. Aber ob Wunsch oder Wirklichkeit, es war doch wunderbar und hocherotisch, den Wunsch zu haben, den Wunsch, mit einer real existierenden, knabenhaften, blonden Frau zu schlafen und nicht bloß den, im Dunkel eines Pornokinos zu hocken und sich dort aufzugeilen. Denn ja, das hatte ich vergessen zu erwähnen: Jetzt, wo ich allein lebte und die Freiheit hatte, in Pornobars zu gehen, soviel ich wollte, jetzt war auf einmal das Verlangen nicht mehr da, so daß ich meine Freiheit gar nicht nutzte.

Ich fuhr Meike zum Viktoria-Luise-Platz, und wir freuten uns beide darauf, daß ich bald wieder in ihre Wohngemeinschaft einziehen würde. Dann fuhr ich nach Hause, also zu Karin und Andreas, und meldete, daß alles gut gelaufen sei, die Filme montiert, die Platten kopiert, nun müsse nur noch gedruckt und gebunden werden. Erschöpft, aber glücklich, ging ich ins Bett.

Zur guten Nacht legte ich noch einmal Ken Colyers »Go down sunshine« auf und dachte an Antonia. Nun hatten wir die erste Nummer der *Schwarzen Noten* ohne sie fertiggestellt. Was sie wohl dazu sagen würde? Ob sie ihr gefiele? Und überhaupt, wenn sie gesehen hätte, wie ich in diesen Tagen die ganze Sache zusammengehalten hatte, wäre sie nicht sogar ein bißchen stolz auf mich? Hatte ich nicht vieles so gemacht, wie sonst sie? Ich hatte sogar bei der Auswahl der Illustrationen mitentschieden, wozu ich vorher nie den Mut gehabt hatte. Antonia war auch in dieser Hinsicht eine Autorität für mich. Nun war ich selbst, nun ja, nicht gerade eine Autorität, aber doch imstande, zu sagen, *das* finde ich gut, das nicht, also machen wir *das.*
Ich lag im Bett und hatte gerade das Licht ausgemacht, als Andreas klopfte: »Telefon.«
»Wer ist es?«
»Antonia.«
So ein Zufall, dachte ich. Gerade habe ich noch an sie gedacht, da ruft sie an. Aber wenn es danach gegangen wäre, hätte sie in den letzten Wochen pausenlos anrufen müssen. Wie eigenartig, dachte ich dann, ausgerechnet heute, wo wir mit den *Noten* fertiggeworden sind, ruft sie an. Ich hielt den Hörer ans Ohr und sagte »Hallo«.
»Hallo, Dickie.«
»Wir sind gerade fertiggeworden«, sagte ich. »Wir waren heute beim Drucker. Ich bin ganz erschöpft.«
»Ich bin in Berlin.«
»Was?«
»Ich kann nicht ohne dich leben. Ich hab's versucht, aber ich kann's nicht. Es ist *amour fou.*«
»Mit mir?«

»Ja.«
Ich hatte den Ausdruck *amour fou* erst bei Bernhard Engel gelernt oder wenigstens richtig zur Kenntnis genommen. Vorher kannte ich ihn nur aus Büchern oder Filmen. Meine Vorstellung von *amour fou* war die von einer jungen Frau, verheiratet mit einem zwanzig Jahre älteren Mann, die sich in einen jungen, toreroartigen Typ verliebt, mit diesem über die Berge geht und nach einigen Nächten rasender Leidenschaft sich, ihn und überhaupt alles um sie herum zerstört, wobei er kräftig mithilft.
Amour fou mit mir? Ich war kein toreroartiger Typ. Klar, Bernhard Engel war zwanzig Jahre älter als wir, insofern paßte das Bild, aber sie war ja nicht mit ihm verheiratet. Verheiratet war sie schon eher mit mir gewesen, wenigstens hatten wir lange so gelebt als ob. Nein, amour fou, das paßte nicht auf uns, das hätte von Anfang an nicht gepaßt. Dann schon eher auf Antonias Verhältnis zu Jan-Peter Gruhl. Aber vielleicht hatte sich von heut auf morgen alles geändert?
»Wo bist du?« sagte ich.
»Hier. In Berlin.«
»In unserer Wohnung?«
»Nein, in der Telefonzelle, gleich um die Ecke. Charly ist bei mir. Er hat mich hergefahren.«
Charly aus der Wohngemeinschaft von Tina, Renate, Charly und Walter. Wie kam Antonia dazu, sich ausgerechnet von ihm nach Berlin fahren zu lassen? Aber immer noch besser, als von Walter, dachte ich und schüttelte mit dem Kopf, um den Gedanken daran, wie Antonia mit Walter schlief, loszuwerden. Was fing da auf einmal wieder an? »Warte einen Augenblick. Ich ziehe mich schnell an, dann komme ich.«
»Bist du schon im Bett?«

»Ja.«
»Wenn du nicht willst, du mußt nicht ...«
»Red keinen Unsinn. Ich bin gleich da.«
But someday, Juliet, you want me as much as I want you. Aber wollte ich das überhaupt? Wollte ich noch, daß Antonia mich wollte, wie einst ich sie? Ich hatte keine Zeit, darüber nachzudenken. Ich zog mich an, ging zur Telefonzelle und sah Antonia stehen. Unter der Laterne, vor der großen Post. Sie weinte, und ich umarmte sie. »Dickie«, sagte sie, »ich hab dich so vermißt, ich habe dich so vermißt. Ich bin immer nachts in der Wohnung herumgelaufen und habe gerufen, wo bist du? Wo bist du, Dickie? Wo bist du?«
»Du wußtest, wo ich war.«
»Ja, aber du hast dich doch von mir getrennt.«
»Ich mich von dir? Du dich von mir!«
»Ich wollte mich nicht von dir trennen. Ich könnte das gar nicht. Es ist *amour fou.* Das einzige was ich wollte, war nur –«
»Mit Bernhard Engel schlafen.«
»Laß uns nicht darüber streiten. Es ist ja vorbei. Komm, wir fahren nach Hause.«
Wie auf ein Stichwort trat aus dem Hintergrund Charly hervor und begrüßte mich. Er habe den Koffer mit Antonias Sachen im Auto. Er würde uns nach Neukölln fahren und mir helfen, die Sachen hinaufzutragen, dann müsse er wieder nach Göttingen zurück.
»Heute noch?«
»Ja, sicher, ich habe morgen ein wichtiges Seminar.«
Unsere Wohnung war, nun, nicht gerade verwahrlost, aber verwaist. Die Geister, unsere Geister, hatten sie verlassen, und ich war mir nicht sicher, ob es uns gelingen würde, sie zurückzuholen. »Laß uns spazierengehen«, sagte ich. »Wir trinken

irgendwo ein Glas Wein.« Es war noch nicht spät. Ich war nach dem anstrengenden Tag früh zu Bett gegangen, vielleicht um zehn, jetzt war es kurz nach elf. Wir gingen die Sonnenallee hinunter und suchten uns eine Pizzeria. Schon auf dem Weg dahin fing Antonia wieder davon an, daß ich sie *total enteignet* hätte. Keine Zeitschrift, keine Wohnung, kein Geld. Was hätte sie denn in Göttingen gesollt? Ihr Studium könne sie dort auch nicht weiterführen. Aber das mit dem Geld sei nicht fair von mir gewesen, wir hätten immer davon gesprochen, es zu teilen, wenn es zur Trennung käme. Schließlich hätte sie ein Jahr lang kaum etwas anderes getan, als mich aufs Abitur vorzubereiten.

Das stimmte. Und damals, als wir vom Theater abgingen, hatte sie ja auch, wie mir jetzt wieder einfiel, auf ein Engagement verzichtet, um mit mir zusammenzubleiben. Ich schämte mich auf einmal, so undankbar und geradezu unbarmherzig gewesen zu sein. War so der neue Mensch? Und war nicht gerade ich derjenige, der es mit Versprechungen und Verträgen ganz genau nahm?

Als wir beim Wein und Cappucino in der Pizzeria saßen, schlug ich vor, gleich morgen mit ihr zur Bank zu gehen und das Geld zu teilen. »Ich will, daß du frei bist«, sagte ich. »Ich will nicht, daß du wegen des Geldes zurückkommst.«

»Nein, nein«, sagte sie, »so ist es ja gar nicht. Ich wollte nur sagen, daß ich es nicht richtig fand.«

Was folgte, war eine Nacht des Grauens. Es hätte das Glück sein sollen, das Glück des Wiedersehens, der Rückkehr aus dem Falschen, dem Irrtum, der Verirrung, aber es fühlte sich eher so an, als wäre unser Wiedersehen das Falsche. Je mehr wir einander versicherten, wie froh wir wären, wieder zusammenzusein, desto unerbittlicher legte sich der Nebel des

Grauens auf uns, lastete auf Brust und Hirn und machte das Atmen schwer. Schlaf? Daraus wurde nicht viel. Es war nicht das Gewohnte und Heimische, wieder zusammenzusein, es war das Unvertraute, Fremde, ja Bedrohliche. Aber wir taten so, als wäre alles wieder gut. Am nächsten Morgen gingen wir zur Bank. Ich leistete eine Unterschrift und Antonia bekam ein Sparbuch über zehntausend Mark.

Die Gruppe war etwas verärgert, als wir wieder zusammen aufkreuzten. Niemand sagte das ausdrücklich, aber es war klar, daß sie sich *verarscht fühlten*. Gerade hatten sie mit mir den Aufstand gegen Antonia gewagt und – unausgesprochen, versteht sich – mich zum neuen Chef gemacht, da stand der Rebell mit der Rivalin vor ihnen und wollte, daß alles wieder so wäre wie zuvor. Sie sollten ihre Meinungen und Gefühle ändern und Antonia, gegen die sie sich gerade noch verschworen hatten, wieder in die Arme schließen. Nein, sie hatten auch ihren Stolz. Sie zeigten ihn zwar nicht, aber sie bewahrten ihn in ihrem Herzen.
Der außerordentliche *Wert*, den Antonia für mich hatte, und den ich, wie ich dachte, auch bekam, wenn ich mit ihr zusammen auftrat, ließ auch jetzt wieder mein Herz höher schlagen, wenn wir gemeinsam aus dem Haus gingen, um Vorlesungen zu besuchen oder uns mit irgendwelchen Genossen zu treffen. Ich war aber nicht nur froh darüber. *Du definierst dich schon wieder über sie*, dachte ich, indem ich eine Formel der Frauenbewegung auf mich anwandte, eben noch warst du auf dem besten Wege, ein eigenes Ich zu werden und *deine eigene* Sache zu finden, da kommt Antonia und du gibst alles wieder auf. Ich versuchte allerdings ein bißchen was von meinem neugewonnenen Selbstbewußtsein zu bewahren. Ich sagte

der Wohngemeinschaft von Tom (und Meike) nicht wieder ab, sondern zog eine Woche, nachdem Antonia zurückgekommen war, dort ein. Antonia wollte auch nicht allein in Neukölln zurückbleiben. Sie mietete sich ein Zimmer, das sie durch Vermittlung von Kostja Kolnikow bekam. Zum Glück nicht in seiner Wohngemeinschaft, dachte ich, aber wer weiß, was sie miteinander gemacht haben, als sie das Zimmer besichtigt haben. Ja, es fing wieder an, das demütigende Syndrom: Stolz auf Antonia, Abhängigkeit, Eifersucht.

Vierzehn Tage, nachdem sie aus Göttingen zurückgekommen war, setzte sie sich in einen Zug und fuhr zu ihrer Mutter. Sie sagte es gehe ihr nicht gut, sie sei ein bißchen krank und wolle sich pflegen lassen. Das war vermutlich auch so. Aber daß es sich dabei um die Dreifaltigkeit von Krankheit, Krise und Entscheidung handelte, war offensichtlich. Jetzt wird dort oben auf dem Lande das Urteil gefällt, dachte ich. Und wie es ausfallen würde, war klar.

Aber was sollte ich machen? Ich konnte ja nicht zur Gruppe gehen und sagen, hört mal, Genossen, es war alles ein Irrtum, Antonia geht nun doch zu Bernhard Engel, also wollen wir sie wieder aus der Redaktion ausschließen. Oder zur Bank und sagen, sperren sie doch bitte das Sparbuch, ich hab's mit meiner Unterschrift nicht so gemeint. Oder vor den Spiegel treten und sagen, Benjamin, alter Knabe, mach dir nichts draus, es war sowieso schöner, mit Angelika zu schlafen und davon zu träumen, es auch noch mit Meike zu tun. Nein, das ging jetzt nicht mehr. Alles, was ich mir in den Wochen des Alleinseins aufgebaut hatte, als Daseinsgerüst, als Phantasiefundament, als Palast oder Hütte meines neuen Selbstbewußtseins –, das alles hatte ich hingeworfen, als Antonia zurückkam. Mir fehlte der Killerinstinkt. Sie hatte ihn. Und ob

es nun Absicht war oder *unbewußte Absicht* – das Wörtchen »unbewußt« macht das, was unter seinem Schutz getan wird, ja nicht besser oder menschlicher. *Meine unbewußte Absicht* war wohl die Kapitulation, die Selbstaufgabe, das Hier-hast-du-meine-Kehle-nun-beiß-zu. Aus Liebe? Schon möglich. Und überhaupt: Man kann doch einer Frau, die mitten in der Nacht mit Sack und Pack daherkommt und »amour fou« stammelt, nicht sagen: »Zu spät, meine Liebe, du hattest deine Wahl, jetzt sieh zu, wie du damit fertig wirst«. Nein, so etwas tut man nicht. Und weil man es nicht tut, überhört man all die inneren Stimmen, die unisono ihre Warnungen ausstoßen – Vater, Mutter, Großvater, Großmutter, der ganze jahrtausendealte Familienclan, all die Heldinnen und Helden im ewigen Geschlechterkampf –, und versucht, sich weiszumachen, man könne wieder da anknüpfen, wo vor ein paar Wochen das Band gerissen war.
Nach vierzehn Tagen Landaufenthalt und mütterlicher Pflege schrieb Antonia einen Brief: »Benjamin, ich gehe zu Bernhard. Verzeih' mir. Antonia.«

Ich bin am Ende meiner Erzählung angelangt. Nicht weil Antonia nun endgültig nach Göttingen gegangen und dort auf Nimmerwiedersehen verschwunden wäre. Nein. Auch nicht, weil ich jetzt meine Sachen gepackt und erstmal eine Weltreise gemacht hätte, das tat ich nicht, obwohl ich vielleicht besser daran getan hätte. Das Ende meiner Erzählung ist erreicht, weil nur noch Wiederholungen kommen. Antonia ging *zu Bernhard*, aber sie kam auch zurück. Sie behielt ihr Zimmer, studierte weiter in Berlin und arbeitete mit an der nächsten Nummer der *Schwarzen Noten*. Warum sie denn nicht mit uns beiden leben könne, fragte sie mich und vermut-

lich auch Bernhard Engel, halb in Göttingen, halb in Berlin? Ja, warum nicht, was sollte ich dagegen sagen? Ich wollte noch immer nicht *reaktionär* sein oder gar *Besitzansprüche* haben. Ich wollte immer noch *der neue Mensch* sein. Es schien mir auch gar nicht mehr unmöglich, so zu leben, als einer von zwei Männern, mit denen sie ihr Leben teilte, weil ich inzwischen selbst mit einer anderen Frau zusammenlebte, mit Christine. Sie war einen Monat nach mir in unsere Wohngemeinschaft eingezogen, und schon am ersten Abend, nachdem sie ihre Sachen eingeräumt hatte, gingen wir im *International* tanzen, einer vor allem von schwarzen GI's besuchten Diskothek – ich sage nur: *Otis Redding, Aretha Franklin, James Brown*! Christine tanzte wunderbar! Allerdings war sie, obwohl viel jünger als ich, auch noch weit davon entfernt, der neue Mensch zu sein. Sie fing an, unter meiner Unentschiedenheit zu leiden. Sie konnte es nur schwer ertragen, daß ich ihr einerseits die Ohren mit meiner Antoniageschichte volljammerte und andererseits nicht *zu ihr stand*, wenn Antonia kam, um über uns, Bernhard Engel oder die *Schwarzen Noten* zu reden. Und nun auf einmal war ich es, der einem anderen Menschen vorwarf, eifersüchtig zu sein und Besitzansprüche zu stellen. So gab ich das, was ich von Antonia erfahren hatte und noch erfuhr, gewissenhaft an Christine weiter, auf daß nichts von all dem kostbaren Leid, mit dem unser Dasein gespickt ist, verlorengehe.
Es stellte sich allerdings heraus, daß auch Bernhard Engel noch nicht der neue Mensch war. Daß er durfte, was mir verwehrt war, nämlich *der alte Mensch sein* –, das war es, was dann doch noch einen letzten Rest von Auflehnung in meiner Seele wachrief.

Ich hatte für die Sommersemesterferien eine Wohnung in London gemietet. Ich wollte dort mein Englisch verbessern, ins Theater gehen, in den Pubs saufen und mit den Genossen der *Group Solidarity* diskutieren, die wir durch unsere Zeitschrift kennengelernt hatten. Sie waren libertäre Marxisten und *lagen politisch auf unserer Linie*. Drei Monate, von Juli bis September, hatte ich die Wohnung eines gewissen David Lamb in Hampstead gemietet. Im August wollte Christine mich besuchen. Und im September Antonia.

Antonia? Ja, wirklich, ich hatte, während wir die neue Nummer der *Schwarzen Noten* vorbereiteten, von London erzählt, und der Vorschlag, mich dort einen Monat zu besuchen, kam sogar von ihr. Oder kam er von mir, und sie sagte nur ja? Auf jeden Fall sagte sie ja. Dann fuhr sie nach Göttingen, erzählte Bernhard Engel davon – wahrscheinlich ganz aufgeregt und schwärmerisch, in der Erwartung er werde sich ebenso darüber freuen wie sie – und stieß auf heftigsten Widerstand. Er habe in seinem heiligen Zorn sogar einen Stuhl zertrümmert, erzählte sie mir am Telefon. Aber was heißt heiliger Zorn, dachte ich, es ist Eifersucht. Er also auch! Der alte und noch nicht der neue Mensch! Vierzehn Tage würde er ihr geben, keinen Tag mehr! Ob sie statt der geplanten vier Wochen nicht nur vierzehn Tage kommen könne?

Nein, dachte ich, jetzt reicht's. »Wenn dein Engel darüber entscheidet, wie lange du mit mir zusammensein darfst, dann will ich überhaupt nicht mehr.«

Ich weiß nicht, wie ich heute dazu stehe. Eigentlich gar nicht. Jedenfalls fuhr ich allein nach London. Christine besuchte mich. Eines Abends, im *Roundhouse*, einem ehemaligen Eisenbahndepot, in dem nun Künstlerwerkstätten und Jazzkneipen untergebracht waren, schrieb ich einen Abschiedsbrief. Ich weiß noch genau, daß Mighty Flea Connors phantastisch Posaune dazu spielte: *Sweet Georgia Brown, Christopher Columbus, Undecided.*

Ich wolle das ewige Hin und Her beenden, schrieb ich, ich wolle sie ganz oder gar nicht, und daß eine solche Forderung auf das »gar nicht« hinauslaufe, wisse ich auch. Und dann verließ ich London und fuhr zusammen mit Christine nach Agde in Südfrankreich, wo wir am Ufer des *Hérault* gegrillte Sardinen aßen. Die nächste Nummer der *Schwarzen Noten* kam ohne meine Mitwirkung heraus. Statt meiner hatte die Gruppe nun ein neues Mitglied, und da es sich dabei um einen *prominenten Linken* handelte, war sie sogar ein bißchen stolz darauf.